白天黑夜都在玩的全脑思维游戏

陈晓宏●编著

江苏凤凰科学技术出版社

图书在版编目（CIP）数据

白天黑夜都在玩的全脑思维游戏 / 陈晓宏编著 . ——
南京 : 江苏凤凰科学技术出版社 , 2016.12（2017.4 重印）

ISBN 978-7-5537-7331-5

Ⅰ . ①白⋯ Ⅱ . ①陈⋯ Ⅲ . ①智力游戏—通俗读物
Ⅳ . ① G898.2

中国版本图书馆 CIP 数据核字 (2016) 第 249304 号

白天黑夜都在玩的全脑思维游戏

编　　著	陈晓宏
责 任 编 辑	葛　昀
责 任 监 制	曹叶平　方　晨

出 版 发 行	凤凰出版传媒股份有限公司
	江苏凤凰科学技术出版社
出版社地址	南京市湖南路 1 号 A 楼，邮编：210009
出版社网址	http://www.pspress.cn
经　　销	凤凰出版传媒股份有限公司
印　　刷	北京文昌阁彩色印刷有限责任公司

开　　本	710mm×1 000mm　　1/16
印　　张	14
字　　数	167 000
版　　次	2016年12月第1版
印　　次	2017年4月第2次印刷

标 准 书 号	ISBN 978-7-5537-7331-5
定　　价	29.80元

图书如有印装质量问题，可随时向我社出版科调换。

全脑思维是一种创造性思维方式，这种思维方式由美国著名心理学家吉尔福特（J.P.Guilford）首次提出。他认为，人类的智力由三个维度的多种因素组成：

第一维度是智力的内容，包括形、符号、语义和行为等四种；

第二维度是智力的操作，包括认知、记忆、发散思维、聚合性思维和评价等五种；

第三维度是智力的产物，包括单元、类别、关系、系统、转化和蕴涵等六种。

根据以上四种内容、五种操作和六种产物，一共可以组成 $4 \times 5 \times 6 = 120$ 种独立的智力因素。人的创造性就是由这 120 种智力因素所决定的。

全脑思维游戏作为当前很好玩的脑科学教育方式，它以培养"平衡用脑，高效学习"的全脑使用高智能人才为目的，专注于青少年的大脑潜能启发教育。通过全脑思维游戏，青少年能在轻松愉快的状态下自觉运用大脑深层次的组织群，启发大脑的多种智力因素，提高大脑的运转速度，更加均衡地使用左右脑，从而提高大脑的能动性、创造性，实现全脑全能的使用，使青年在未来拥有更强的竞争力。

伟大的物理学家霍金说过："有一个聪明的大脑，你就会比别人更接近成功。"在生活节奏越来越快、生存压力也越来越大的 21 世纪，社会更需要那些能够"多方法、多角度、多层次地提出问题、分析问题和解决问题"的创新复合型人才。为了满足这方面的要求，我们编著了《白天黑夜都在玩的全脑思维游戏》。

如果你想摆脱旧式的左脑主导型思维，掌握左右脑并用的学习方法，成为未来高智能新人类的领航者，那就快来玩这些奇妙的全脑思维游戏吧！

目录

Part 1 多元智能这样玩，因材施教补短板

Part 2 开发思维这样玩，综合素质全面提

Part 3 探案游戏这样玩，挑战你的高智商

Part 1
多元智能这样玩，
因材施教补短板

塞洞眼

如图所示，有两块木门，每块木门有3个形状不同的洞眼。你能设计两个木塞，使第一个能够塞住左边的3个洞眼，第二个能塞住右边的3个洞眼吗？

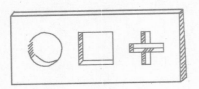
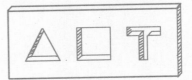

K 金问题

黄金的24K是指百分之百的纯金，因此12K就是纯度为50%，18K是75%。当你在买金制品的时候，上面的纯度记号却是：375表示9K，583表示14K，750表示18K。请问：946表示多少K？

寻找五角星

你能在图中找到一颗标准的五角星吗？

[A1]

很多人一想到某物塞住某物，就会将它想象成一块没有变化的、形状单一的立方体。如果能将思维发散，将它们想成不同的平面，就能设计出第一个木塞；如果再运用发散思维，将不同的平面按不同的角度进行组合，很容易设计出第二个木塞。

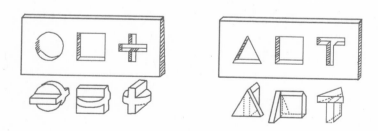

[A2] 22K

为了计算方便，我们将百分之百纯金（24K）表示为 1 000，则 9K 黄金的纯度为 9/24×1 000=375。
946 表示 946/1 000×24=22.704，即 22K。

巧填数字

 从前面几个数的排列规律中，你能推出"？"代表什么数吗？

1， 4， 9，16， 25，36，
49，64，81， ？ ，121。

放射图

 根据规律，你能给问号处填上正确的数字吗？

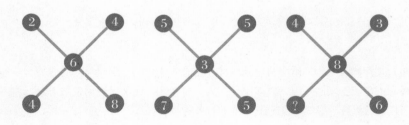

[A3]

巧拼正方形

 如图，有 5 个全等的三角形，b 边是 a 边的 2 倍。要求你在其中的一个三角形上剪一刀，然后把这 5 个三角形拼成一个正方形。

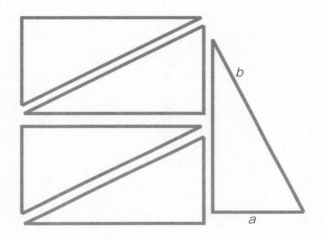

无限接近 10

 用 6 个 "3" 和 6 个 "."，你能组成几个数，使它们的和能无限接近 10 ？

[A4] 100

仔细观察会发现这列数是有规律的，规律是连续自然数的平方。

[A5] 9

在每个图中，将最上面三个数字相乘，所得的两位数结果分别写在下面的两个圆圈中。

哪个图形与众不同

你能看出 A、B、C、D、E 5 个图形中，哪一个是与众不同的吗？

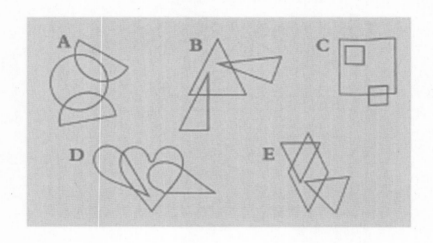

....

[A6]

将一个三角形沿中点拦腰剪开，先拼成一个小正方形，然后再拼成大的正方形。

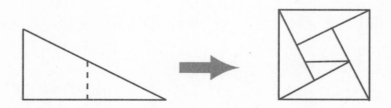

[A7] $3.3 + 3.3 + 3.3 \approx 10$

本题的难点在于对 "." 的运用。一般的，我们能想到 "." 可能是小数点，如 3.3，可能是乘法符号 $3 \cdot 3$，可能是比例符号，如 3：3。这些符号能组成 $3 : 3 \cdot 3 : 3 + 3 \cdot 3 = 10$，可它与题目中的 "无限接近" 10 不相符合。那么，如何体现 "无限接近" 10 呢？这样 "." 作为循环小数的循环节就不难想到了。至此，问题也明朗了：$3.\dot3 + 3.\dot3 + 3.\dot3 \approx 10$。

叶丽亚的年龄

Q9 人们都知道叶丽亚小姐长得漂亮，可很少有人知道她确切的年龄。只听人说，她的岁数非常有特色：

①她岁数的 3 次方是一个四位数，但 4 次方是一个六位数；

②四位数和六位数由 0 ~ 9 这 10 个数字组成，且不重复。例如：如果四位数是"1 234"，那么六位数的数字只能由"5，6，7，8，9，0"组成。

你能推算出叶丽亚小姐的年龄吗？

分割三角形

Q10 用 2 根火柴将 9 根火柴所组成的正三角形分为两部分。请问①和②两个图形哪一个面积比较大？

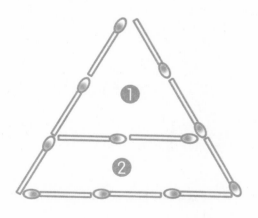

❷ 答案见 15 页

[A8] C 与众不同

A、B、D、E 都是两个小图形相加等于大图形。

重叠的三角形

 将两个正三角形重叠做出一个星形，在重叠的图形中再做一个小星形，即图中阴影部分。如果大星形的面积为 20 平方厘米，那么小星形的面积是多少？

哪个图形是错误的

 下面 4 个方形之中的图形是按一定规律变化的，但其中有一个是错误的。你能找出是哪一个吗？

A

B

C

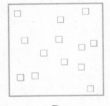

D

[A9] 叶丽亚小姐 18 岁了

岁数的 3 次方是一个四位数，那么从最小四位数 1 000 到最大四位数 9 999 之间，只有 10^3=1 000，11^3=1 331……21^3=9 261 这 12 个数的立方数。而岁数的 4 次方是一个六位数，在这 12 个数中只有 18^4=104 976，19^4=130 321，20^4=160 000，21^4=194 481 这 4 个数的 4 次方是六位数。由于这两个四位数和六位数都由 0 ~ 9 这十个数字组成，且不重复。130 321，160 000，194 481，都有重复的数字，不合题意，所以只剩下 18^4=104 976。再验证 18^3=5 832，刚好符合题意。所以，叶丽亚的年龄是 18 岁。

百变图形

你能用 2 个弯曲的三方格图形（如图）组成多少种不同的图形？

....

[A10] ②的面积比较大

多用几支火柴棒把图形细分成小三角形。然后可以看到，图形
①中有 4 个小三角形，而在图形②中却有 5 个小三角形。

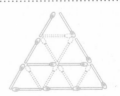

[A11] 5 平方厘米

解这道题可借助辅助线。如图，将大星形分成 12 个正三角形，
中间部分的正六边形面积是总面积的一半；小星形则分成了 6
个菱形，面积是正六边形的一半。

[A12] B

四个方形中的符号数量是从 A 到 D 递减的，而 B 增加了，所以 B 是错误的。

钟表上的数字

  从 12:00 到 24:00，时钟上会出现多少次至少有 3 个数字一样的情况？如 12:11，3 个 1；12:22，3 个 2。

恢复等式

  下面的数字是一个等式，但是这个等式中的所有加号和减号都被擦去，并且其中两个数字实际上是一个两位数的个位和十位。你能让这个等式恢复到正确的形式吗？

$$1 2 3 4 5 6 7 8 9=100$$

[A13] 可以组成 14 种

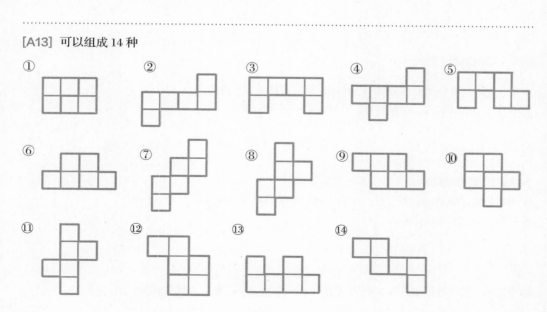

求和方阵

 用 9 个自然数能排成一个其纵向、横向、斜向相加之和均为 15 的魔术方阵（如图）。现在，你能找出 9 个不同的自然数，排成一个其纵向、横向、斜向相加之和均为 18 的方阵吗？

2	7	6
9	5	1
4	3	8

找规律，填数字

Q17 下面图形中的数字排列是有规律的，你能看出问号处应该填什么数字吗？

? 7 4 8 9 0
3 5 0 2 6 7
1 2 4 6 2 3

- -

[A14] 33 次

12：00 ~ 16：00，每一小时有 2 次，共 8 次；

16：00 ~ 19：59，每小时只有 1 次，共 4 次；

20：00 ~ 22：00，每小时 2 次，共 4 次；

22：00 ~ 23：00 有 15 次；

23：00 ~ 24：00 有 2 次。

[A15] 1+2+3−4+5+6+78+9=100

这是一道古老的数学题，数学家们也已经找到了好几个答案，我们给出的答案只是其中的一种，你可以尝试更多的可能。

神秘的玫瑰

Q18 图中是一朵玫瑰的图形，绘制的方法是在圆周上点出 10 个点，然后在每个点之间画上一条直线，一共可以画 45 条直线。如果用 20 个点做出一朵更大的神秘玫瑰，在不画出这个图形的情况下，你能算出有多少条直线吗?

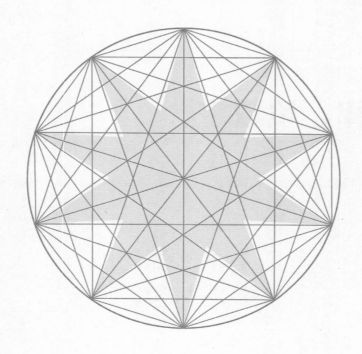

[A16]

在原方阵的基础上，各个方格数字加上 1 就行了。

[A17] 4

这三行均为六位数，下两行之数相加，得第一行之数。

开关的难题

Q19 对一批编号为 1 ~ 100、开关全部朝上（开）的灯进行以下操作：凡是 1 的倍数向反方向拨一次开关；2 的倍数向反方向又拨一次开关；3 的倍数向反方向再拨一次开关……操作 100 次。问：最后为关灯状态的灯编号是多少？

菱形中的计算

Q20 图中自菱形上尖端的数字开始，顺时针方向经过六道加、减、乘、除运算，最后得数为 9。请在数字间填上相应的加减乘除符号。

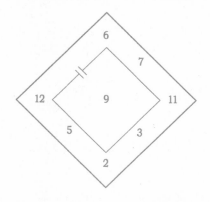

[A18] 190 条直线

如果用 20 个点，那么第一个点要与其他 19 个点连接，这样就有 19 条线；第二个点可以和 18 个点连接，有 18 条线……所以可以用 19+18+17+……+1=190。

最佳救火路线

 如图所示，在一条大河同一岸边住着两户人家。一天，乙家不小心失火了，甲家发现后，立即挑着水桶去河里打水救火。甲家应选择什么样的路线才是省时省力的最佳路线呢？

甲

乙

[A19]

1，4，9，16……100，编号是平方数的灯都是关着的状态。你可以先尝试用 1 到 20 号做一下，就可以发现这个规律。

[A20]

（6+7+11）÷3×2+5-12=9。

哪一句话正确

Q22
凯特说："所有的人都是有逻辑的。"如果她说的这句话是不正确的，那么正确的应该是下面的哪一句话？

A. 全部的人都没有逻辑。

B. 有的人没有逻辑。

C. 有逻辑的便是人。

D. 有的人有逻辑。

皮皮的彩笔

Q23
皮皮有15支颜色不同的彩笔，如果他每天拿2支不同的彩笔去学校，总共可以用105天。昨天他又买了1支不同颜色的彩笔，问他总共可以用多少天？

[A21] 乙家与河边的垂直线是最佳的救火的路线。

人们习惯用几何的方法来解决该问题。如图所示：*A* 表示甲家，*B* 表示乙家，先延长 *BC* 至 *B'*，使 *BC*=*CB'*，再连接 *AB'* 与河岸交于 *D* 点，这样 *AD*+*DB* 为最短的距离，因此 *D* 点是取水点。可是，你再仔细想一想，如采取这一条路线，甲必须挑着重重一桶水走 *DB* 的线路，甲能快速到达乙家吗？因此，应该选取的路线是从河里打水后直接到乙家是最近的。这样，问题就变得简单多了，选择乙家到河边的最短距离，就是最佳路线。

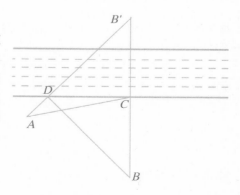

找对应

A和B对应，那么C可对应于D、E、F、G中的哪一个？

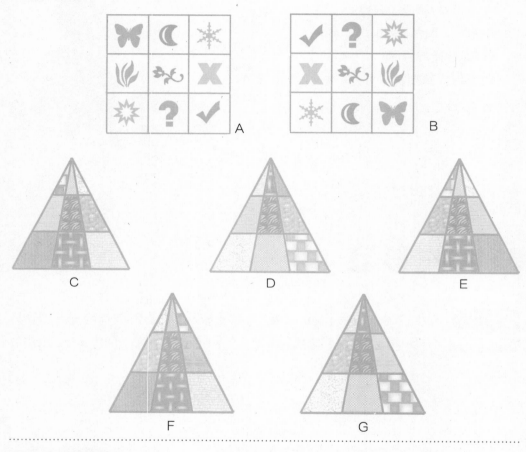

A

B

C

D

E

F

G

[A22] 正确的答案应该是 B

这是个有关"否定"的基本问题。否定的时候，"有"跟"没有"互换，同时"且"跟"或"、"全部"跟"有的"也互换。

"全部的人都有逻辑"这句话，它的否定就是："有的人没有逻辑"。

如果"全部的人都有逻辑"这句话是假的，一定有人会想：不是也有"全部的人都没有逻辑"的可能性吗？但是，"有的人没有逻辑"也包含了"全部的人都没有逻辑"在内。

[A23] 120 天

即 16 × 15 ÷ 2=120。

改错题

 这是一道错误的算式，只要移动其中的 1 根火柴，就可以在不改变结果的情况下改正这个错误。请问该移动哪一根呢?

$$23 - 7 + 1 - 1 + 1 = 3$$

硬币的数量

 某人喜欢收藏硬币。他把 1 分、2 分、5 分的硬币分别放在 5 个一样的盒子里，并且每个盒子里所放的 1 分的硬币数量相等，2 分的硬币数量也相等，5 分的硬币数量也相等。没事的时候拿出来清点，把 5 盒硬币都倒在桌子上，分成 4 堆，每一堆的同种面值的硬币的数量都相等。然后把其中两堆混起来，又分成 3 堆，同样每一堆里的同种面值的硬币的数量相等。好了，问题来了，你知道他至少有多少个 1 分、2 分和 5 分的硬币吗?

[A24]　G

A 和 B 的对应规律是以中间方格为中心作 180 度对调。

锯木料

 Q27 有一块木料（如图），要把它锯成形状、大小完全相同的4块。该如何分？

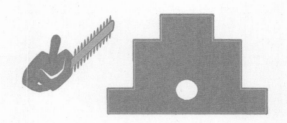

多少岁

 **Q28** 一个人自从他出生以来，每年生日的时候都会有一个蛋糕，上面插着等于他年龄数的蜡烛。迄今为止，他已经吹灭了231只蜡烛。你知道他现在多少岁了吗？

[A25]

$$23-7+1-14=3$$

[A26] 每一种硬币至少有60枚

如果能把不同类型的硬币平均分成4份、5份、6份（注意，把平均分的4堆中的两堆可以平均分成3份，另外2堆也一样可以分成3份，所以说可以分成6份），这样，每一种硬币应该能够被这些数整除，所以每一种硬币至少有60枚。

巧量对角线

Q29 一块砖（如图），你能用一根米尺量出对角线 AB 的长度吗？

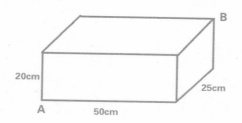

卖掉多少件商品

Q30 大刚在农贸市场摆摊卖炊具，他只卖三种东西：炒锅每个 30 元，盘子每个 2 元，小勺每个 0.5 元。一小时后，他共卖掉 100 件东西，获得 200 元。已知每种商品至少卖掉两件，请问每种商品各卖掉多少件？

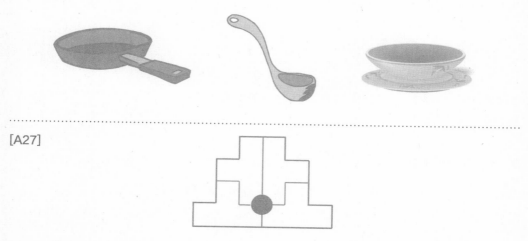

[A27]

[A28] 21 岁

计算方法很简单，就是将从 1 开始以后的连续自然数相加，到 210 的时候，最后加的一个数字是 21，就是他现在的岁数。

有多少种走法

Q31 这些砖块都是四四方方的矩形，虽然它们看起来像是歪歪的。

如果从砖块 A 到砖块 B 要经过 8 个白色砖块和 9 个蓝色砖块（包括 A 和 B 本身），请问有多少种走法？

● 答案见 28 页。

[A29]

从 B 点垂直支一根和砖块高度相等的木棍子，只需要用尺量 DC 的距离就行了。

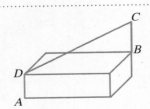

[A30] 炒锅卖了 3 件，盘子卖了 41 件，小勺卖了 56 件

设炒锅、盘子、小勺子各卖了 x、y、z 件，显然 x、y、z 为整数且有：

$x+y+z=100$ ①

$30x+2y+0.5z=200$ ②

$2×$ ②式$-$①式，得

$59x+3y=300$，$x=3（100-y）÷59$。

由于 x 为整数，（$100-y$）必是 59 的倍数，此时只有 $y=41$ 时才满足条件，故 $y=41$，$x=3$，$z=56$，即炒锅卖了 3 件，盘子卖了 41 件，小勺卖了 56 件。

一共花了多少钱

Q32 尼吉太太从超市回来，路过邻居摩尔太太的门口，两人闲聊。尼吉太太说："我用每串 30 美分的价格买了几串黄香蕉，又用每串 40 美分的价格买了同样数量的绿香蕉。后来我想了想，就把钱平均分配，分别购买两种颜色的香蕉，却发现所买的香蕉多了两串。"

"你一共花了多少钱啊？"摩尔太太问。

"就是啊，我一共花了多少钱呢？"尼吉太太有点糊涂，想不起花了多少钱。你能帮她算出来吗？

● 答案见 29 页。

联欢晚会

Q33 某外国语学院举行的圣诞节联欢晚会上，在一个圆桌周围坐着 5 个人。A 是中国人，会英语；B 是法国人，会日语；C 是英国人，会法语；D 是日本人，会汉语；E 是新西兰人，只会说英语。你能巧妙地为他们安排座位，让他们彼此间都能交谈吗？

● 答案见 29 页。

找路线

 请从图形最上面的数字 10 开始，每次往下尽量寻找一条路线，直到最下面一个数字 20 为止。

①使该路线所经过的数字之和为 49。

②使该路线所经过的数字之和为 54。

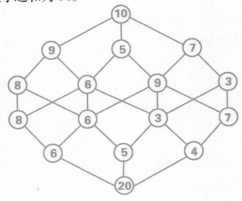

找出多余的字母

 请找出两个三角形内字母的排列规律，并从中找出两个多余的字母。

[A31] 35 种

不管你走哪条路，都至少需要经过 5 个白色砖块。所以接下来你只能从 5 行白色砖块中自由选择 3 个。因此这时问题就相当于要将 3 颗球任意放进 5 个袋子，有多少种放法。

将全部 3 颗球放进一个袋子有 5 种方法；将其中 2 颗球放进 1 个袋子有 5×4 种方法，3 颗球都放进不同的袋子有（5×4）/2 种方法。因此，答案是：5+20+10=35 种。

聪明的将军

Q36 有一位将军特别善于调配士兵，一次他带了 360 名士兵守一座小城池。他把 360 名士兵分派在城的四面，每面城墙壁上有 100 名士兵。战斗打得很激烈，不断有士兵阵亡，每减少 20 人，将军便将守城的士兵重新排列一下，使敌人看到每面城墙上依然有 100 名士兵。士兵的人数已降为 220 人了，四面城墙上仍有 100 名士兵。敌人见守城的士兵丝毫没有减少，以为他有大量的后备军，便撤军了。

你知道将军是怎样巧妙布置士兵的吗？

....

[A32] 尼吉太太一共用了 33.6 美元

设尼吉太太第一次购买黄（绿）香蕉的数量为 x，那么花费的总钱数为 $30x+40x=70x$，第二次购买的香蕉数量为 $35x/30+35x/40$。由题意可知：

$$35x/30+35x/40=2x+2$$

解得 $x=48$

总钱数为 $30x+40x=70x$，一共花了 $48 \times 70=3\,360$ 美分 $=33.6$ 美元

[A33]

首先要特别安排的是新西兰人，因为这 5 个人中只有新西兰人只会英语，其他每个人除懂得本国语言以外还懂得一门外语，所以他必须坐在 2 个懂英语的人中间。因此他的两边必为中国人和英国人，有了这 3 个人的位置，其他两个人的位置就好确定了。

[A34] ① 10-5-6-3-5-20 ② 10-7-9-3-5-20

[A35] 多余的字母是 A 和 N

第一个三角形内的序列是 B、D、F、H、J（在字母表中排序分别是 2，4，6，8，10）。3，6，9，12，15，即为第二个三角形内的字母在字母表中的排列的序位，分别是 C、F、I、L、O。

猴子讨钱

Q37 卖艺人牵着他的猴子来到一幢居民楼下，非要为楼上的观众们表演，楼上住户受不了他的软磨硬泡，只得向他妥协。卖艺人在表演完后派猴子爬窗到楼上去要赏钱，然后再回到主人的身边。你能找出一条路线，让猴子从10号位置出发，走最短的路线，最后回到它主人的肩膀上吗？

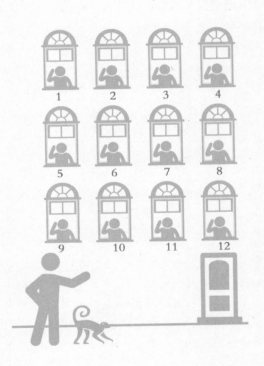

[A36]

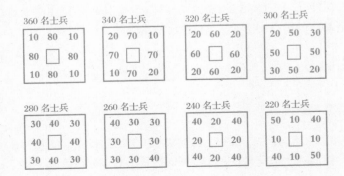

360 名士兵

10	80	10
80		80
10	80	10

340 名士兵

20	70	10
70		70
10	70	20

320 名士兵

20	60	20
60		60
20	60	20

300 名士兵

20	50	30
50		50
30	50	20

280 名士兵

30	40	30
40		40
30	40	30

260 名士兵

40	30	30
30		30
30	30	40

240 名士兵

40	20	40
20		20
40	20	40

220 名士兵

50	10	40
10		10
40	10	50

找出例外的数

 A、B、C、D、E共5组数字，其中4组数字有一个共同特性，只有1组数字例外。请找出这一组数字。

A	5 6 1 1 1 7
B	7 4 1 1 1 5
C	9 2 1 1 1 3
D	8 8 1 6 2 4
E	7 7 1 1 1 7

算 24 点

Q39 "算24点"的游戏规则是这样的：一副牌中抽去大小王剩下52张，任意抽取4张牌，用加、减、乘、除、括号把牌面上的数算成24。每张牌必须用一次且只能用一次。谁先算出来，四张牌就归谁，如果无解就各自收回自己的牌，哪一方把所有的牌都赢到手中，就获胜了。

那么，现在你能用 5、5、5、1 四个数算出 24 点吗？

[A37]

猴子爬窗讨钱的线路如下：10-11-12-8-4-3-7-6-2-1-5-9。这条路线在底层窗子和中层窗子之间的空墙中只穿过两次。

猜谜语比赛

 皮皮和琪琪进行猜谜语比赛，答对一题得 6 分，答错一题扣 3 分，最后皮皮得了 80 分，琪琪得了 77 分。这可能吗？

找相符的图形

 请在下列 4 个图形中找出一个与左图相符（旋转一定角度或方向）的图形。

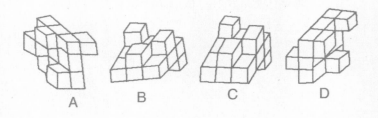

A B C D

[A38] E

其他几个数都符合一个规律：每一组数字的前两位相加等于三四位组成的数，而第二位加三四位组成的数等于末尾两位组成的数。

[A39]

$5 \times (5-1/5) = 24$。

求小正方形的面积

 Q42 有一个边长 10 厘米的正方体。在里面画一个内接圆，在圆内再画一个正方形。

请问，小正方形的面积为多少?

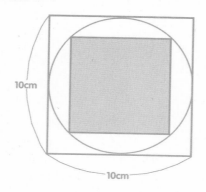

卖相机

 Q43 张永暑假期间在表哥的相机店里帮助表哥卖相机，其中一种相机卖 310 元。为了方便顾客，表哥让他把机身和机套分开卖，并且告诉他，机身比机套贵 300 元。

这天表哥出门，正好有一位顾客单买一个机套。张永想起了表哥的话，就向这位顾客要价 10 元，可顾客说他卖贵了。张永想了想说，不贵呀，表哥走的时候就是这么交代的。可那位顾客一口咬定，他前几天就是在这家店用 5 元钱买过一个一模一样的机套。他们正争执不下，表哥回来了，他告诉张永，确实是他卖贵了。张永听了表哥的话感到很不服气，心里想：明明就是你让我这么卖的嘛! 你知道张永错在哪里了吗?

....

[A40] 不可能

6 与 3 都是 3 的倍数，最后的得分也应是 3 的倍数，而 80 与 77 都不是 3 的倍数。

[A41] A，你可以制作模型旋转一下试试

放多少个"王后"

Q44 在国际象棋中，"车"可以向方格的四个方向移动，而"王后"可向八个方向移动。在国际象棋的棋盘上最多只能摆 8 个"王后"，才能避免她们互相厮杀。有一种六边形的棋盘（如图），它的"王后"只能沿六个边向六个方向移动。你能在这种六边形的棋盘上最多放多少个"王后"，才能避免她们相互厮杀？共有几种放法？

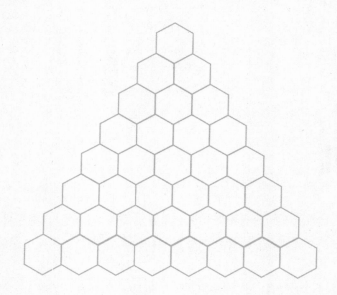

[A42] 50 平方厘米

这个题目不止有一种解法，只是看你的思路而已。
可以把正方形转 90 度，面积就会变成原正方形的一半；或者利用对角线的长来计算小正方形的面积。

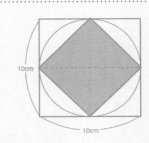

[A43]

他把机身卖 300 元，机套卖 10 元就错了，300-10=290，而实际上机身要贵出 300 元。正确答案是机套卖 5 元，机身卖 305 元。

照样子列式

Q45 乔伊斯和凯丽是一对"数学迷"恋人，他们经常互相出题来考对方。在一次约会的时候，凯丽又给乔伊斯出了一道难题，并且说只要乔伊斯能够回答得出来，她就跟他回家去见他父母。问题是这样的：如果有1、2、3、4四个数，列出式子 $3 \times 4 = 12$；如果有1、2、3、4，5五个数，列出式子 $13 \times 4 = 52$。从例子中可看出，等式把所有的数都用上了。以此类推，请用1~6、1~8、1~9和0~9这些连续数各组成等式。

结果，聪明的乔伊斯第二天就带着他美丽的凯丽回家和父母共进晚餐了。那么，你知道答案是什么吗？

○ 答案见37页。

时钟算式

Q46 你想知道如何破译密码吗？来做一道题，看你的破译能力。先看一看 A 和 B 两个时钟所组成的算式，然后破译出 C 算式的结果是多少？考验你的时候到了！

○ 答案见37页。

[A44] 最多可放5个"王后"，有3种放法，如图：

① ② ③

分苹果

Q47

大明、老张、小李三个好伙伴在城里打工，年底合买了一堆苹果准备给家人带回去，买回后，三个人都躺下睡起觉来。过了一会儿，大明先醒来，看看另两人还在睡觉，便自作主张将地上的苹果分成3份，发现还多一个，就把那个苹果吃了，然后拿着自己的那份走了。老张第二个醒来，说道：怎么大明没拿苹果就走了？不管他，我把苹果分一下。于是也将苹果分成3份，发现也多一个，也把多的苹果给吃了，拿着自己那份走了。小李最后一个醒来，奇怪两个伙伴怎么都没拿苹果就走了？于是又将剩下的苹果分成3份，发现也多一个，便也把它吃了，拿着自己那份回家了。

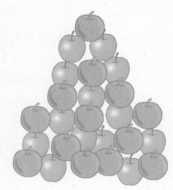

请问，一开始最少有多少个苹果？

哪一年出生

在一个名人的葬礼上，莫尔森问起死者的出生年份。麦吉答道：你不是很喜欢数学吗？现在告诉你几个信息：

①死者没有活到100岁；

②当死者 n 岁时，那一年正好是 n 的平方；

③今年是1990年。

那么，死者到底是哪一年出生的呢？

➲ 答案见38页。

水雷阵

Q49 下图是某港口布下的水雷阵。一艘军舰要从左面最下方到达左面最上方，并且只能转弯一次。现在需要从底线开始画一条直线，画到中间某个地方停下，再从这里开始画另一条直线，连接到图的左上角。

请问，怎么走才能顺利通过水雷阵而不碰到任意一颗水雷呢？

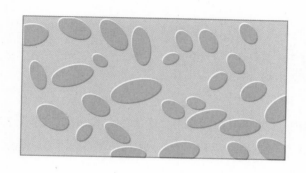

....

[A45]

1 ~ 6 组成：54×3=162

1 ~ 8 组成：582×3=1 746

1 ~ 9 组成：1 738×4=6 952

0 ~ 9 组成：9 403×7=65 821

[A46] 97

指针的位置作为数字，而不是时间。A 式为 51+123=174，B 式为 911+72=983，那么 C 式为 113−16=97。

[A47] 一开始最少有 25 个苹果

解题方法却是倒过来的：

（1）假定最后每人分到 1 个苹果，则在小李醒来时共有 4 个苹果，在老张醒来时有 7 个苹果，而 7 个苹果不能构成两份，与题意不符合；

（2）假定最后每人分到 2 个苹果，则在小李醒来时共有 7 个苹果，也与题意不符合；

（3）假定最后每人分到 3 个苹果，则在小李醒来时共有 10 个苹果，在老张醒来时有 16 个苹果，而大明分出的三份苹果中，每份有 8 个苹果，加上吃掉那个，3×8+1=25。

服装促销

Q50 某百货商城新进了一批最新款式的服装，很受欢迎，销量与日看涨。于是，该商城的总经理决定提价10％。不久之后，服装开始滞销，他们又打出了降价10％的广告。有人说百货商城实际上是瞎折腾，不过是又回到原价位；有人说百货商城不会干赔钱的事；也有人说百货商城自作聪明，实际赔了钱。你说呢？

羚羊和猎豹赛跑

Q51 马戏团训练了一只猎豹和一只羚羊来赛跑，100米直线往返跑。猎豹1步跑3米，羚羊1步只能跑2米，但是猎豹跑2步的时候羚羊能跑3步。在这样的情况下，赛跑的可能结果是怎样的？

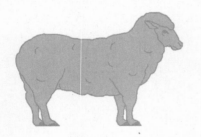

[A48] 死者的出生日期是1892年

死者没有活到100岁，现在又是1990年，这说明死者的生年在1890～1990年之间。问题的关键在于找出一个数，其平方也在这个范围内，只有44×44=1 936符合。
由此可知，死者在1936年时44岁，他的出生年份是1936−44=1892年。

[A49]

若在军舰航行中只能转弯一次的话，出发点、转弯点及终点之间的连线应该构成一个夹角。只要保持角的两条边不接触水雷就可以。

对应数

52 根据图中扇形内的数字排列规律，填出问号处对应的数。

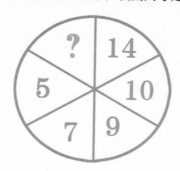

什么职业

53 有一个小院里住着 3 户人家，他们是王海、李江和蒋方，其中蒋方住在两家的中间。一个人是木匠，一个人是瓦匠，还有一个是鱼贩，可是谁也不知道他们 3 个人各做什么职业，只是常听说鱼贩在王海外出不在的时候，到处追赶王海饲养的猫。而李江每次带女朋友到家里，木匠总是看不顺眼，咚咚地敲着李江的墙。你能在 5 分钟之内分辨出他们 3 个人各自的职业吗？

....

[A50]

百货商城实际比起原价卖赔了钱。因为如果原价为 100%，商城降价是按涨价后的 110% 降的价，降价后的价格为 110% × 0.9=99%。

罗莎蒙德迷宫

 这是被称作"罗莎蒙德秘密基地"的有名迷宫。道路相当复杂,到处有死巷,周围有许多入口。请找出通往秘密基地的路线。

[A51] 羚羊获胜

羚羊跑 100 步刚好完成这段路程一个来回,而猎豹却相反,它不得不跑到 102 米再回头,因为它 33 步到达 99 米,必须再跑 1 步,那样就超过了端线 2 米,所以猎豹必须跑 68 步才能完成全程,但猎豹的速度只有羚羊的 2/3,所以当羚羊跑了 100 步的时候,猎豹还没有跑完 67 步。

[A52] 18

规律是:位置相对的数字是 2 倍关系,且为整数。

[A53] 李江是鱼贩,王海是瓦匠,蒋方是木匠

因为从第一个信息可以得知王海不是鱼贩;因为王海和李江不相邻,不可能去敲李江的墙壁,所以他也不是木匠。因此,王海是瓦匠。李江既不是木匠,也不是瓦匠,那么他是鱼贩。剩下的蒋方便是木匠了。

电路维修

A、B 两地相距 200 多米，如图所示立着 9 根电线杆。一阵大风刮断了某处电线，小王查了 3 次就找到了被刮断的地方，你知道他是怎么做的吗？

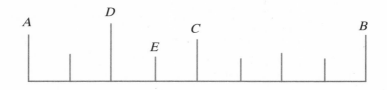

◎ 答案见 42 页。

换硬币

Q56 先告诉大家美元的基本换算单位和币值：1 美元合 100 美分，小币值的硬币有 50 美分、25 美分、10 美分、5 美分和 1 美分。玛丽的硬币总共有 1.15 美元，可是她却找不开 1 美元，也换不开 50 美分，甚至连 25 美分、10 美分、5 美分都找不开。她的 1.15 美元到底是由哪些硬币组成的？

◎ 答案见 43 页。

[A54]

可以尝试把所有的死巷都涂上颜色，这样就可以找出如图中所示的正确道路了。如图所示。

看图形填数字

图中问号处该填什么数字?

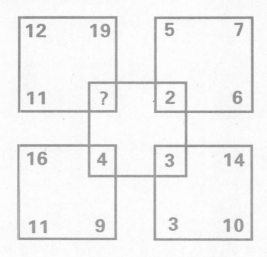

孤儿院的孩子们

亨利送了 24 个苹果给孤儿院。院长按他们 3 年前的岁数把苹果分给孤儿院的库克、凯特和鲍勃 3 个孩子，正好分完了所有的苹果。其中库克最大，鲍勃最小。

最小的孩子鲍勃最伶俐，他提出这样分不公平："我只留一半，另一半送他们两个平分。然后凯特拿出一半让我和库克平分，最后库克也拿出一半让我和凯特平分。"院长同意了，结果 3 个人的苹果就一样多了。

算一算，他们 3 个人各有几岁。

[A55]

首先从 C 杆查起，如果 AC 段不通，再查 AC 段中间的 D 杆。如果 DC 段不通，再查 DC 段中间的 E 杆，就可查出故障在哪一段。如果 BC 段不通，方法同理。

复杂的国际象棋

 将 16 个国际象棋的士兵放进棋盘的方格里,要求每一行、每一列或任何一条斜线上的棋子加起来都不超过两个,并且一个格子只能放一个棋子。

[A56] 1 枚 50 美分、1 枚 25 美分、4 枚 10 美分

可先把 1.15 美元所有的币值组成列出来,然后排除不符合条件的。

[A57] 7

每一方块外圈三个数相加之和,除以组成这个数的两数字相加之和,即为内圈之数:
19+12+11=42, 4+2=6, 42÷6=7。

[A58] 鲍勃 7 岁,凯特 10 岁,库克 16 岁

最后结果是每人 8 个苹果,显然这是库克留下的数,那库克分苹果前是 16 个苹果,而当时凯特和鲍勃手中应各有 4 个苹果,由此推出凯特分出苹果前有 8 个苹果,而鲍勃的 4 个有 2 个是凯特分出的,另 2 个是他第一次分配所余。凯特得到鲍勃的 1 个成为 8 个,凯特最初是 7 个,库克自然是 13 个苹果。每人再加 3 岁,鲍勃 7 岁,凯特 10 岁,库克 16 岁。

英语考试

Q60 一次英语考试只有 20 道题，做对一题加 5 分，做错一题倒扣 3 分。皮皮这次没考及格，不过他发现，只要他少错一道题就能及格。你知道他做对了多少道题吗？

妙进城堡

Q61 有一座城堡，城主下了一道命令，不许外面的人进来，也不许里面的人出去。看守城门的人非常负责，每隔 10 分钟就走出城门巡视一番，看看是否有人想偷着出去或进来。詹姆斯有急事要进城去找他的朋友商量，可是看守城堡的人又那样认真，怎样才能趁守门人不注意时，偷偷进入城堡呢？詹姆斯想到一条妙计，顺利地进入了城堡。

那你知道詹姆斯是怎样做的吗？

[A59]

列车到站时间

 张教授乘坐高速列车去北京参加一个学术会议。他怕耽误了开会时间，就问列车上的乘务员："火车什么时候到达北京站？"

"明天早晨。"乘务员答道。

"早晨几点呢？"

乘务员看张教授一副学者气派，有意测试他："我们准时到达北京时，车站的时钟显示的时间将很特别，时针和分针都指在分针的刻度线上，两针的距离是13分或者26分。现在你能算出我们几点到吗？"

张教授想了一会儿，又问道："我们是北京时间4点前还是4点后到呢？"

乘务员笑了一下："我如果告诉你这个，你当然就知道了。"

张教授回之一笑："你不说我也知道了，这下我就可以放心了。"

请问，这列火车到底是几点几分到达北京站？

我们准时到达北京时，车站的时钟显示的时间将很特别：时针和分针都指在分针的刻度线上，两针的距离是13分或者26分。现在你能算出我们几点到吗？

[A60] 答对了14道题

少错一道题，也就是再加5+3=8分，他才能及格，所以皮皮得了52分。设皮皮做对了 x 题，那么他做错的题是 20−x，且有 5x−3×（20−x）=52。解方程得 x=14，所以皮皮答对了14道题。

[A61]

詹姆斯趁守门人出来巡视的间隙，快步走进城门，当守门人出来巡视时，又转身向回走。守门人误认为他想溜出城去，于是就把他赶进了城堡。

小天才汤姆

Q63 汤姆虽然才12岁，但像天才一样，对数学有极高的悟性。有一天，他向同学夸口说："随便你用0~9这10个数字写成两个数，只要你把每个数字都用到而且不重复就可以，然后把两个数加起来，再把你写的加数中的两个数字擦掉，最后，你把得数里的任意一位也擦掉。整个过程我都不知道你写的是什么数，结果是多少，但是我只要瞅一眼你最后的结果，我就知道你最后擦掉的那位数是几。"

同学当然不相信，于是用这10个数字写了一个6位数和一个4位数，加起来后得出结果，把得数百位上的数和加数中的两个数字都擦掉，得到这样一个数：398□27（□是同学擦去的那个数）。汤姆真的只看了一眼，就说出同学擦掉的数。

真的很神奇！汤姆是怎么知道那个数的呢?

$$×××××$$
$$+ \quad ××××$$
$$\overline{398\square27}$$

[A62] 这列火车准点驶入北京站的时间是第二天的 2:48

首先，时针和分针都指在分针的刻度线上，让我们仔细看看钟（手表也一样）的结构：每个小时之间有四个分针刻度，在相邻两个分针刻度线之间对时针来说要走12分钟，这说明这个时间必定是n点$12m$分，其中n是0到11的整数，m是0到4的整数，即分针指向$12m$分，时针指向$5n+m$"分"的位置。又已知分针与时针的间隔是13分或者26分，要么$12m-(5n-4-m)=13$或26，要么$(5n+m)+(60-12m)=13$或26，即要么$11m-5n=13$或26，要么$60-11m-5n=13$或26。这是一个看起来不可解的方程。但由于n和m只能是一定范围的整数，却还是能找出解来的（重要的是，不要找出一组解便满足了，否则此类题是做不出来的）。

张教授便是以此思路找出了所有三组解（若不细心便会在只找到两组解后便宣称此题无解）。

已知：$m=0,1,2,3,4$；$n=0,1,2,3,4,5,6,7,8,9,10,11$。

只有固定的取值范围，不难找到以下三组解：（1）$n=2$；$m=4$；（2）$n=4$；$m=3$；（3）$n=7$；$m=2$。

即这样三个时间：（1）2:48；（2）4:36；（3）7:24。

面对这三个可能的答案，张教授当然得问一问乘务员了。乘务员的回答却巧妙地暗设了机关：

正面回答本来应该是4点前或是4点后。但若答案是4点后，乘务员的变通回答便不对了，因为这时张教授还是无法确定时间是4:36还是7:24。而乘务员的变通回答却暗示道：若正面回答便能确定答案。这意味着这个正面回答只能是4点以前。即正点时间是2:48。

过河谜题

 一个人带着一只虎、一匹马和一捆草过一条河，河里只有一条船，每次只能过两个对象。一旦把任意两样东西单独留下，没有人的看管，那么马会吃掉草，虎会吃掉马，但是虎不会去吃草。

请问：这个人最少要往返河两岸多少次才能让所有东西都安全过河呢？

怎么摆放椅子

 15 位很久没见的同学一起在一家餐厅聚会，可是餐厅里只剩下一张六角形的大桌子。如果每一边都坐 3 个人，那么椅子该怎么摆放呢？

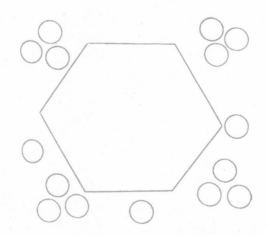

[A63] 擦掉的数是 7

其实秘密很简单，0 到 9 这 9 个数相加等于 45，是 9 的倍数，不管这 10 个数字怎样排列，得出的两个数，其和也是 9 的倍数。所以只要把答案中能看到的数字加起来，用与这结果最接近但比这结果大 9 的倍数一减，得到的数就是被擦去的数字。在此例中，3+9+8+2+7=29，比 29 大的最接近的 9 的倍数是 36。所以，擦去的数为 36－29=7。

如何造马圈

 牧马人有 21 匹马，他想把它们圈在一个正方形的马圈中，并在马圈内用栅栏隔成 4 个小马圈，使每个马圈里都有偶数对马再加上一个马圈。你能帮牧马人造出来吗？

巧填八角格

 你能将 1 ～ 8 的自然数填入图中的八角格中，使相邻两数之间没有直线连接吗？

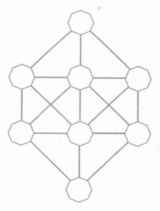

[A64] 整个过程需要 7 次往返，过程如下图所示：

[A65]

出发岸边	中途	抵达岸边
①虎、草→	马、人	马、人
②虎、草←	人	马
③草→	人、虎	马
④草←	人、马	虎
⑤马→	人、草	虎
⑥马←	人	虎、草
⑦→	人、马	虎、草、人、马

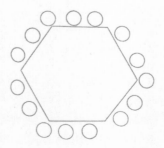

赛马

Q68 甲、乙、丙、丁4匹马赛跑，它们共赛了4次。结果是甲比乙快3次，乙比丙快3次，丙比丁快3次。很多人会以为，丁跑得最慢，但事实上，这4次比赛中，丁也比甲快3次。这看似矛盾的结果可能发生吗？

甲   乙   丙   丁

[A66]

如果你够聪明，肯定已经想到用层层嵌套的方法：把一个马圈套在另一个马圈里头，如图。

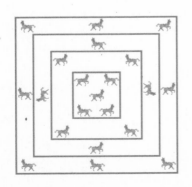

[A67]

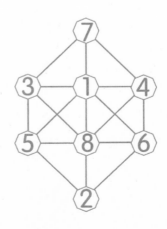

参观农场

Q69 一群来自城市的客人参观农场，客人问主人农场养了些什么家畜。主人说他一共养了224只家畜，其中绵羊比奶牛多38只，奶牛又比猪多6头。这时，刚好遇到附近另一个农场的人来用绵羊来换奶牛，他把主人75%的奶牛按照一头奶牛换5只绵羊的比例换走了。你知道，现在这个农场主分别养了多少头奶牛、多少只绵羊、多少头猪吗？

快乐数字

Q70 你知道什么叫快乐数字吗？一个数将它每位数的数字平方，再加起来，然后重复前面的程序，如果最后能得到1，那么，这个数就是快乐数字。以139为例：

$1^2 + 3^2 + 9^2 = 91$，$9^2 + 1^2 = 82$，$8^2 + 2^2 = 68$，$6^2 + 8^2 = 100$，$1^2 + 0^2 + 0^2 = 1$，所以139是快乐数字。

你能找出20以内的快乐数字吗？

....

[A68] 这样的结果是可以发生的，它们的比赛名次可以是这样的

第一次：甲、乙、丙、丁
第二次：乙、丙、丁、甲
第三次：丙、丁、甲、乙
第四次：丁、甲、乙、丙

逃跑的特工

Q71 假设你做了一次特工，成功混入敌人的秘密基地，完成任务后，要趁夜色的掩护逃离基地。你要面对的是一个蜘蛛网般的围栏。只有用手中的剪子在最短的时间里从上到下剪开一个口，才可能成功逃离。巡逻队的脚步声越来越近！好好观察一下，最少要剪断多少根你才能逃出？注意！网结上你是剪不动的！

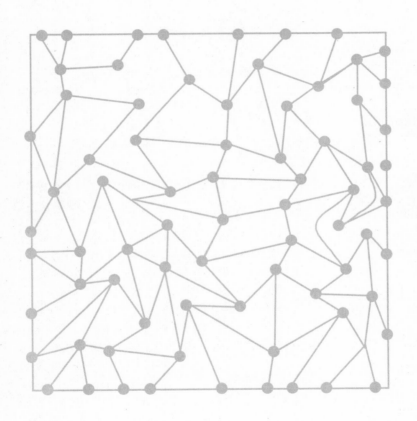

[A69] 16 头奶牛，342 只绵羊，58 头猪，这是一个三元一次方程的问题

[A70] 1，7，16，10，19

20 以内的数字按照规则变换几次就会重复，结果是 1 的数字才满足条件。

75 层高的扑克房子

用15张扑克牌可搭成一座3层高的扑克房子，要搭一座10层高的扑克房子，就要用154张扑克牌。如果搭一座75层高的房子，一共要用多少张扑克牌？

不变的"十"字

用36根火柴可拼成一个由13个小正方形组成的红"十"字图案。你能从中拿走4根，去掉5个小正方形，且使中间的"十"字图案保持不变吗？

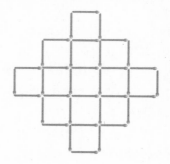

● 答案见54页。

....

[A71] 最少要剪断7根

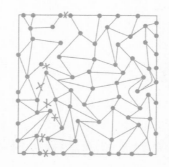

寻找巡逻路线

Q74 下图是某宫殿的平面图，上面标明了有 8×8 共 64 个房间，A、B、C、D、E 是 5 个巡逻队员的位置。每天下午 6 点整，钟楼的钟声会敲响，A 就得穿过房间从 a 出口出去，同样，B 从 b 出口出去，C 从 c 出口出去，D 从 d 出口出去，然后 E 需要从目前的位置走到 F 标记的房间。

巡逻队长要求 5 个巡逻队员走的路线不准相交，也就是任何一个房间都不允许有一条以上路线穿过，巡逻队员从一个房间到另一个房间都必须经过图上所标识的门。

你能帮巡逻队员们找出他们各自的路线吗？

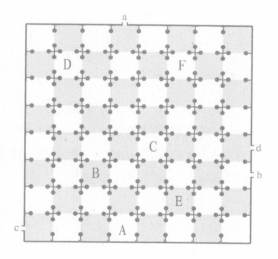

[A72] 需要 8 475 张纸牌

我们先来看一看层数少的房子需要纸牌的情况，然后找出规律：

1 层需要 2 张扑克，可用 2 表示；

2 层需要 7 张扑克，可用 3+4 表示；

3 层需要 15 张扑克，可用 4+5+6 表示；

4 层需要 26 张扑克，可用 5+6+7+8 表示；

5 层需要 40 张扑克，可用 6+7+8+9+10 表示；

……

接下去呢？你找出了每一层所需扑克牌的规律了吗？告诉你，n 层所需的扑克数为：$(n+1)+(n+2)+(n+3)+(n+4)+(n+5)+\cdots\cdots+(n+n)=(3n^2+n)\div 2$，

所以，75 层所需扑克为：$(3\times 75\times 75+75)\div 2=8\,475$。

找相同的立方体

这是一个观察立方体的问题。左边的图形和右边5个图形中的哪一个相同?

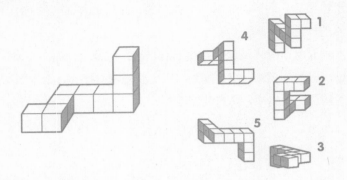

奇怪的时钟

Q76 琳达买了一台奇怪的时钟,它的时针行走正常,可是它的分针不仅倒着走,而且每小时会走80分钟。已知6点半,时钟的显示是正确的(如图),请问下一次是在什么时候这时钟会再一次正确显示时间?

[A73]

[A74]

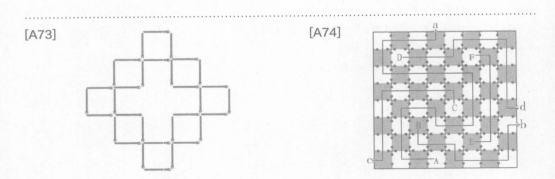

要多少块地板砖

Q77 如图所示，用41块蓝色和白色相间的地板砖可摆成对角线各为9块地板砖的图形。如果要摆成一个类似的图形，使对角线有19块地板砖，总共需要多少块地板砖？

[A75] 图3

原图有7个立方体排列在平面上，请注意它们排列的相对位置，只有图3是相同的。

请注意这7个方块

[A76] 3/7小时后这台时钟会再一次正确显示时间

正常时钟的分针每小时走一圈，即360度，每分钟相当于6度。6点半时时钟的显示是正确的，下一次时钟正确显示时倒走的分针又落在正确的位置上。假定其间的时间为 n 分钟，如果分针行走正常，它将沿顺时针方向走 $6n$ 度，现在倒走的分针沿逆时针方向则走 $80n \times 6/60 = 8n$ 度，两者之和正好是一圈360度：

$$6n + 8n = 360$$

$$14n = 360$$

$n = 180/7$ 分钟 = 3/7 小时，即3/7小时后这台时钟会再一次正确显示时间。

袋子里的苹果

Q78 一个炊事班长出去采购，他把买来的 100 个苹果分装在 6 个大小不一的袋子里，每只袋子里所装的苹果数都是含有数字 6 的数。请你想一想，他在每只袋子里各装了多少个苹果？

猜年龄的秘诀

Q79 这里有一个猜年龄的秘诀。魔术师有一个魔力式子，这个式子通常会把人的出生月日（例如 1 月 1 日表示为 "11"）和年龄泄露出去，这对于那些年龄比较大的女士来说是一个致命的伤害，她们特别憎恨魔术师。

这位魔术师的式子如下：

$$（出生月日）\times 100 + 20 \times 10 + 165 +（你的年龄）= ?$$

把你的出生月日和年龄对号入座地填入上面这个式子（千万不要给魔术师看到），然后将最后的数字告诉给魔术师，他就知道你的年龄是多少。

你知道秘诀在哪里吗？

[A77] 181 块

可以先试些小一点的数目。比如这样的图形当对角线是 3 块的时候，一共需要 5 块地板砖；如果对角线是 5 块的时候需要 13 块；对角线是 7 块的时候需要 25 块；对角线是 9 块的时候需要 41 块……上列数目依次是 5，13，25，41……考虑一下每一次增加了多少块，找到什么样的规律，然后用笔简单地排出一个数列，就可以知道对角线是 19 块的时候需要 181 块地板砖。

数字迷宫

Q80 你要在这个迷宫中，走到标示着"F"的终点。并且你只能直线前进，图中每个格子里面的数字代表下一步你可以走几格。从左上方的"3"处开始，如图所示，下一步你只有两种选择。该如何到达终点？

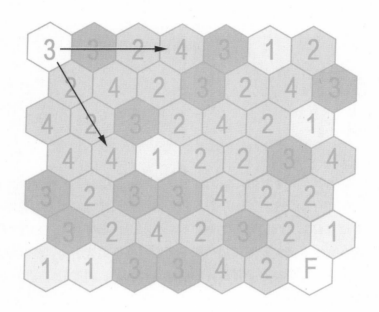

[A78] 60，16，6，6，6，6

因为把100个苹果分装在6只袋子里，100的个位数是0，所以6个数的个位不能都是6，又要保证每个袋子都含有数字6，所以其中一只袋子里的苹果数只能是60。另外5只袋子的苹果数为40个，且这些数字个位数一定都是6，加起来是30。把多余的10个加到其中一只袋子里，就是16，剩下4个6相加刚好是等于分剩下的，即100-60-16，所以6只袋子里的苹果数分别为60，16，6，6，6，6。

[A79]

这是一个通用的式子。把最后的数字扣掉365，百位数以及它的左边就是你的出生月日，剩下的十位与个位数就是你的年龄。

比酒量

Q81 一群酒徒聚在一起要比酒量。先上一瓶，各人平分。这酒真厉害，一瓶喝下来，当场就倒了几个。于是再来一瓶，在余下的人中平分，结果又有人倒下。现在能坚持的人虽已很少，但总要决出个雌雄来。于是又来一瓶，还是平分。这下总算有了结果，全倒了。只听见最后倒下的酒徒咕哝道："嗨，我正好喝了一瓶。"

你知道一共有多少个酒徒在一起比酒量吗？

密码破译

Q82 一位间谍潜入了某国，他的任务是窃取一位老将军的机密文件。这个间谍以管家的身份进入老将军的府邸，虽然每天都能看到装有秘密文件的保险柜，但就是苦于没有密码。间谍想：老将军年纪大了记性不好，现在的事情又多，肯定会把密码记在什么地方。所以间谍便利用职务之便，仔细检查了将军的笔记本和抽屉里的所有东西，却始终一无所获。眼看任务的期限就要到了，间谍只好碰碰运气，于是他在一天夜里用掺有安眠药的酒灌醉了老将军，随后潜入了书房。保险柜的密码是六位数，间谍用从1到9之间的六个数字通过排列组合的方式进行测试，但试了很久还没试出来。眼看天就要亮了，女仆很快就会来打扫卫生。

正在他绝望之际，忽然发现墙上挂钟是坏的，指针停在9时35分15秒，他意识到这很可能就是密码。但93515只有五位数，那么密码是什么呢？

[A80]

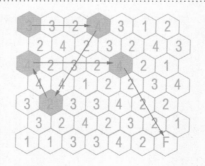

经理女儿的年龄

Q83 一位经理有 3 个女儿，3 个女儿的年龄加起来等于 13，3 个女儿的年龄乘起来等于经理的年龄。有一个同事已知道经理的年龄是 36 岁，但仍不能确定经理 3 个女儿的年龄。经理说有两个女儿参加滑冰学习了，然后这个同事就知道了经理 3 个女儿的年龄。请问：经理 3 个女儿的年龄分别是多少？为什么？

[A81] 一共 6 个人喝了 3 瓶酒

最后一人倒下时说喝了一瓶，说明最后跟他平分酒的那些人也喝了一瓶。

从这儿可以看出，最后一次平分酒的人数一定是 2。

如果是 3，那说明有三个人都喝了一瓶，加一起已经是三瓶了，还有之前倒下的人，总量就超过三瓶了。既然最后一次是平分酒，那么人数肯定比 1 大，所以只能是 2。

这就说明，倒下的那个人最后一次喝了 1/2 瓶。

设原有 x 人（即第一次分酒的有 x 人），第二次分酒的有 y 人。

看最后倒下的那个人，第一次喝了 $1/x$ 瓶，第二次喝了 $1/y$ 瓶，第三次喝了 $1/2$ 瓶，所以加在一起 $1/x+1/y+1/2=1$，$1/x+1/y=1/2$，两个数加起来是 $1/2$，而且 $1/x$ 比 $1/y$ 小，所以 $1/x$ 一定小于 $1/4$，$1/y$ 则大于 $1/4$，即 $1/x < 1/4 < 1/y$，所以 y 只能是 3，x 就是 6。

[A82]

把 9 时理解为 21 时就对了

59

怎样移棋子

在这幅棋盘上有 10 颗棋子。你能移动其中的 3 颗,使这 10 颗棋子分别排成 5 条直线,并且每条线上有 4 颗棋子吗?

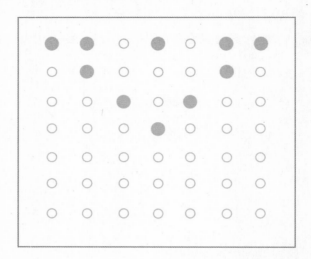

[A83] 3 个女儿的年龄分别是 1 岁、6 岁和 6 岁,其中有一对双胞胎姐妹

3 个数加起来等于 13 的情况共有以下几种情况:

女儿一	女儿二	女儿三	和	积
1	1	11	13	11
1	2	10	13	20
1	3	9	13	27
1	4	8	13	32
1	5	7	13	35
1	6	6	13	36
2	2	9	13	36
2	3	8	13	48
2	4	7	13	56
2	5	6	13	60
3	3	7	13	63
3	4	6	13	72
3	5	5	13	75
4	4	5	13	80

同事知道其经理女儿的年龄乘积是 36 之后,还不能确定她们的年龄,因为乘积为 36 时有两种可能。
当经理说有两个女儿去学滑冰的时候,如果是 2,2,9 这种情况,显然 2 岁的孩子还不能去进行
滑冰学习。所以只可能是有两个 6 岁的女儿去学滑冰了。

摆火柴

 6 根火柴可以拼 1 个正六边形。再给 6 根火柴，你能在这个六边形内摆出 1 个六边形和 6 个三角形吗？

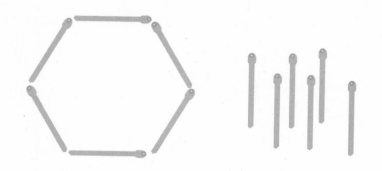

聪明律师的难题

 一位寡妇要把她丈夫遗留下来的 3 500 元遗产同她即将出生的孩子一起分配。如果生的是儿子，那么按照该国的法律：母亲应分得儿子份额的一半，如果生的是女儿，母亲就应分得女儿份额的两倍。可是如果生的是一对龙凤胎——一男一女，遗产又该怎么分呢？这个问题把聪明的律师给难倒了。你知道该怎么分吗？

[A84]

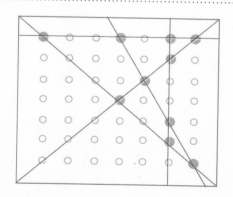

手套与袜子

Q87 一个抽屉里有 10 双白袜子、10 双花袜子；另一个抽屉里有 10 副白手套、10 副花手套，问：如果你闭着眼睛拿，至少需要从每个抽屉里取几只袜子和几只手套才一定可以符合至少两只是同种颜色？

 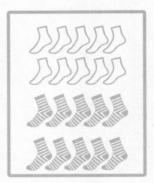

抢报 30

Q88 蓬蓬和亨亨玩一种叫"抢报 30"的游戏。游戏规则很简单：两个人轮流报数，第一个人从 1 开始，按顺序报数，他可以只报 1，也可以报 1、2。第二个人接着第一个人报的数再报下去，但最多也只能报两个数，却不能一个数都不报。例如，第一个人报的是 1，第二个人可报 2，也可报 2、3；若第一个人报了 1、2，则第二个人可报 3，也可报 3、4。由第一个人接着报，如此轮流下去，谁先报到 30 谁胜。

蓬蓬很大度，每次都让亨亨先报，但每次都是蓬蓬胜。你知道蓬蓬必胜的策略是什么吗？

[A85]

[A86] 那位寡妇应分得 1 000 元，儿子分得 2 000 元，女儿 500 元

这样，遗嘱人的遗愿就完全得到履行了，因为寡妇所得恰是儿子的一半，又是女儿的两倍。也可列三元一次方次求解。

找图填空

在下面A、B、C、D四种图案中,哪一种符合大图案中的空白部分?

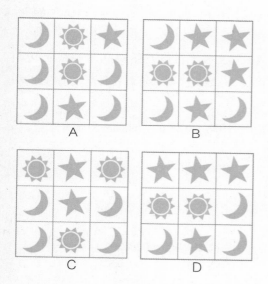

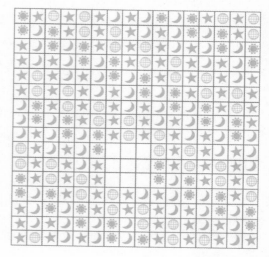

....

[A87]

只要分别取出三只袜子和三只手套就行,因为其中至少两只是同一颜色的

[A88] 蓬蓬的策略其实很简单:他总是报到3的倍数为止

如果亨亨先报,根据游戏规定,他或报1,或报1、2。若亨亨报1,则蓬蓬就报2、3;若亨亨报1、2,蓬蓬就报3。接下来,亨亨从4开始报,而蓬蓬视亨亨的情况,总是报到6为止。以此类推,蓬蓬总能使自己报到3的倍数为止。由于30是3的倍数,所以蓬蓬总能报到30。

购买土地

Q90 一个叫巴河姆的人去购买土地。卖地人提出一个非常奇怪的地价："每天1 000卢布。"原来，卖地者提出的价格是：谁出1 000卢布，那么他从日出到日落走过的路所围成的土地都归他所有，不过，如果在日落之前，买地人回不到原来的出发点，那他就只好白出1 000卢布，一点土地也得不到。

巴河姆觉得这个条件对自己有利，于是他付了1 000卢布，等第二天天刚亮，就起床出发。他走了10千米，这才朝左转弯；接着又走了许久许久，再向左拐弯；这样，又走了2千米。这时夜幕即将降临，而自己离清晨出发点足足还有15千米的路程，于是他只得马上改变方向，径直朝出发点拼命跑去……最后巴河姆总算在日落之前赶回到了出发点。

你能算出巴河姆这一天共走了多少路？他走过的路所围成的土地面积有多大吗？

哪一个对应

Q91 A 对应于 B，恰如 C 对应于 D、E、F、G 中的哪一个？

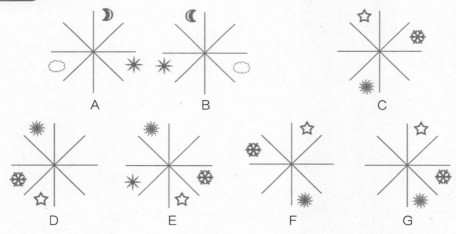

[A89] A

观察图片会发现，3个月牙总是竖着排列在 上方，所以九宫格左列应为3个月牙，只有 A 符合条件。再验证一下，发现 A 也满足其他图形的排列规律。

移棋子

Q92 在图中有 6 枚跳棋的棋子，从左上方开始数，它们的序号依次是 1, 2, 3, 4, 5, 6。它们可以往上下、左右或斜线方向移动，每一枚棋子移动一格算一步。你可以自由地移动它们，但最后的排列结果要符合下面的两个条件：不论上下、左右或斜线上任一方向，都不能有两枚以上的棋子在同一排；A 的位置上一定要有一枚棋子。

那么，要想满足以上的条件，最少应移动几次？

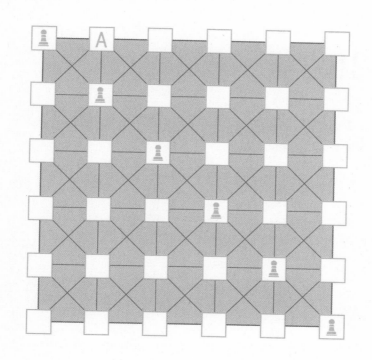

....

[A90] 走了约 39.7 千米，面积约为 76.1 平方千米

巴河姆本想走出一块长方形土地，最后因为时间关系不得不走出了一个下底 10 千米，上底 2 千米，斜边长 15 千米的直角梯形，于是问题转化成了求梯形的周长和面积。

[A91] F

A 与 B、C 与 F 都是垂直面相对应。

蜜蜂齐上阵

一只小蜜蜂发现了一处蜜源，它立刻回巢招来 10 个同伴，可还是采不完。于是，每只蜜蜂回去分头各找来 10 只蜜蜂，大家再接着干，还是剩下很多蜜没有采。于是，蜜蜂们又回去叫同伴，每只蜜蜂又叫来 10 个同伴，但仍然采不完。蜜蜂们再回去，每只蜜蜂又叫来 10 个同伴。这一次，终于把这一片蜜源采完了。

你知道，飞到这块蜜源的蜜蜂一共有多少只吗？

和为 26

把数字 1 到 12 不重复地填入下图由菱形组成的迷宫中，使每一个菱形四个角上的数的和都是 26。

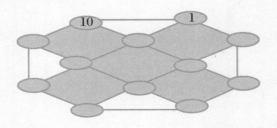

·····

[A92] 最少得移动 8 次

结果就像图中画的那样。移动的次数从 1 号棋子开始算，分别是：1 次 +2 次 +1 次 +1 次 +2 次 +1 次 =8 次。

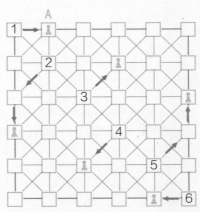

摆正方形

16 根火柴可以摆成 4 个正方形，现在把火柴减到 15 根、14 根、13 根、12 根，仍然要摆出 4 个正方形。你认为可能吗？

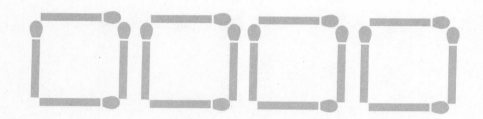

....

[A93] 一共有 14 641 只蜜蜂

第一次搬兵：1+10=11（只）
第二次搬兵：11+11×10=11×11=121（只）
第三次搬兵：……
一共搬了四次兵，于是蜜蜂总数为：11×11×11×11=14 641（只）

[A94]

由于 4 个数字相加之和是 26，考虑到 1 至 12 这 12 个数在 5 个菱形中的大小宜均衡分布，因此每组数字两两之和适宜在 12 ~ 14 之间，如 10+4=14，7+5=12，6+7=13，9+3=12 等等。这样考虑的话，填数就简单得多了。如图：

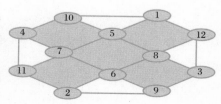

48 变 50

Q96 某矿泉水公司生意很不错，不过最近有一件麻烦的事：公司最初设计的纸箱可以每排放 8 瓶，共 6 排，一箱可放 48 瓶，但是现在客户都反映放 48 瓶不好计算，必须改成每箱 50 瓶。如果要满足客户的需要，公司只能把做好的几千个箱子不用，再重新做新的箱子，造成很大的浪费。一个负责洗瓶子的工人却说，其实原来的箱子也可以放 50 瓶的，但没有人相信。如图，你认为这个箱子真的能放 50 个瓶子吗？

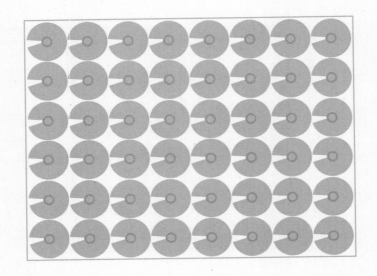

[A95]

15 根火柴摆成的 4 个正方形

14 根火柴摆成的 4 个正方形

13 根火柴摆成的 4 个正方形

12 根火柴摆成的 4 个正方形

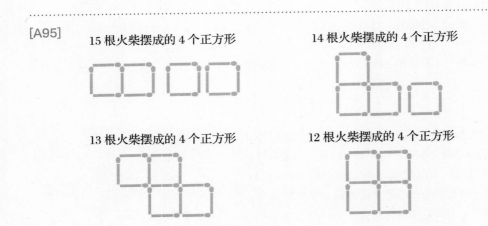

帽子游戏

Q97 课间休息时，老师和同学们做了一个游戏。他拿来5条手绢，将5名学生的眼睛蒙上，然后分别给他们戴上或白或黑的帽子，说："你们每人都戴有一顶帽子，要么是白色的，要么是黑色的。你们先猜一猜，除自己以外，有几个人戴了白帽子？有几个人戴了黑帽子？"

甲猜：除我以外，有1顶黑帽子和3顶白帽子。

乙猜：除我以外，有4顶黑帽子。

丙猜：除我以外，有3顶黑帽子和1顶白帽子。

丁猜：我不猜了。

戊猜：除我以外，有4顶白帽子。

听了5个人猜测后，老师说："你们5个人中戴白帽子的人猜对了，戴黑帽子的人都猜错了。请大家接着猜自己头上戴的是什么颜色的帽子。"

在第二次猜测中，5个人都正确猜出了自己戴的帽子的颜色。

你知道这5名学生头上戴的帽子各是什么颜色吗？

[A96] 能

原来的瓶子是按照四边形的排法来放瓶子的，其实所有的圆柱体物品如果按照六角形排法，都可以节省空间。所以用六角形排法，原来的箱子完全可以放50个瓶子。如图：

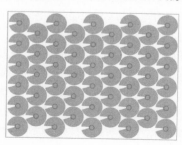

69

生卒年问题

Q98 有一位著名的作家，生于 19 世纪，他又死于 19 世纪。现在可以知道，作家诞生的年份和逝世的年份都是由 4 个相同的数字组成，只是排列的位置不同。并且，他诞生的那一年，4 个数字之和是 14；他逝世那一年的数字的十位数是个位数的 4 倍。

那么：这位作家生于何年，死于何年？

放可乐

Q99 A、B 两人将杯子排列成图示的位置。现在，请你将一杯可乐放在 C 或 D 的位置上，再按一定顺序与相邻的杯子轮流互换位置，当互换第 55 次时，装可乐的杯子在谁的面前，谁就要把可乐喝下去。如果你希望 A 喝可乐，那么，你会把杯子放在 C、D 哪一个位置？

● 答案见 72 页。

[A97] 甲、乙、戊是黑帽子，丙和丁是白帽子

此题如果按习惯思维，会用排他法进行推理分析，即将五个人的话一一进行假定分析，可结果是越理越理不清头绪。显然排他法不适合本题，必须另辟蹊径。

我们先来看一看，谁的陈述最简洁。当然是乙与戊，如以"戴白帽子的人猜对了"为前提，戊的陈述比较有头绪。我们选取他为突破口。如果戊正确，那么 5 个人都戴白帽子。又以"戴白帽子的人猜对了"为前提，则甲、乙、丙 3 个人猜测的都是错误的。显然，这与事实不相符合，所以戊是错的，他戴的是黑帽子。

再看乙的陈述，如果他的话是正确的，那么其他 4 个人戴的都是黑帽子，他们的陈述也都是错的。可丙的陈述是"除我以外，有 3 顶黑帽子和 1 顶白帽子"应该是正确的，丙当戴白帽子，显然相互矛盾。所以乙的陈述也是错的，他戴的是黑帽子。

从乙和戊所戴的是黑帽子中，可知甲的陈述也是错的，所以他戴黑帽子。

再来看关键的丙的陈述。如果他是错的，那么，所有人的猜测都是错的，即所有的人戴黑帽子，与老师说的至少有一个人是戴白帽子的隐含条件相矛盾。所以丙是正确的，他戴的是白帽子。

丙是正确的，那么他说还有一个人戴白帽子只剩下丁了，所以丁戴的是白帽子。

这样五个人在第二次推测中就可以辨清自己所戴的是什么颜色的帽子了。

巧拼游戏板

Q100 有一块游戏板，如果要把它拼成一个正方形的小黑板，只需沿着其中的两条直线锯开就可以了。你知道怎样做吗？

涂色比赛

Q101 小明和小强两个人玩涂色比赛，游戏规则是：已经涂过的地方和它相邻的地方都不能再涂。例如，小明涂 a，小强涂 e，那么，小明就没有可涂的地方了，小明就输了。如果小明先涂并想取胜，应该先涂哪一块？

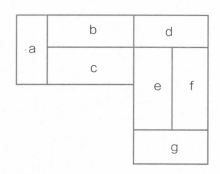

[A98] 作家生于 1814 年，死于 1841 年

生卒年都在 19 世纪，可以肯定，这四个数字中有 1 和 8。"十位数是个位数的 4 倍"可以推出，个位上的数字只能是 1 或 2，个位数与十位数只可能是 1 与 4 或 2 与 8。再由"诞生年的 4 个数字之和为 14"得诞生年是 1814，逝世年份为 1841。

经理投票

Q102 A、B、C 三个分公司的经理在总公司的年度预算会议上，投票表决如何分配总额为 4 亿元的预算资金。这个预算案一共有甲、乙、丙 3 个提案（如表所示），分别决定了各分公司可以获得的预算资金。

首先甲、乙两案进行表决，胜出的再跟丙案进行表决。

如果你是 A 公司的经理，要想获得最大分配额，你该怎么投票？

经理	甲方案	乙方案	丙方案
A	2 亿	1 亿	0 亿
B	1 亿	0 亿	2 亿
C	1 亿	3 亿	2 亿

[A99] 放在 C 位置

这三个杯子中，无论可乐是放在 C 还是放在 D，一定是中间的杯子会碰到奇数的次数。因此，若想让 A 获胜，必须将 A 放在中间。

[A100] 锯下左右 4 个角，填到上下凹进去的地方就可以了，如图：

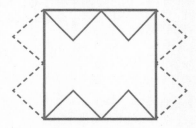

[A101] d

如果小明先涂 d，根据比赛规则，无论小强涂哪一块，小明还是有地方可涂。

复杂的判断

Q103 所有参加足球比赛的运动员，都要进行兴奋剂检查；所有参加兴奋剂检查的人，同时获得了人身意外保险；有些参加足球比赛的运动员兼做商业广告；有些业余的歌手也做商业广告；所有业余的歌手都未获得人身意外保险。

问题一：如果上述断定都是真的，则除了以下哪项，其余的断定也必定是真的？

A 所有参加足球比赛的运动员都获得了人身意外保险。

B 没有一个业余歌手参加过兴奋剂检查。

C 有些参加足球比赛的运动员是业余歌手。

D 有些兼做商业广告的人没有进行兴奋剂检查。

问题二：以下哪个人的身份不可能符合上述题干所做出的断定？

A 一个人参加了兴奋剂检查，但并非是业余歌手。

B 一个人获得了人身意外保险，但没有参加过兴奋剂检验。

C 一个人参加过兴奋剂检查，但并非是参加足球比赛的运动员。

D 一个人参加了兴奋剂检查，但并非不是业余歌手。

. . . .

[A102] 先投乙案，在第二次投票的时候还是投乙案

在甲、乙两案的表决时，A 公司将获得的预算分别是甲案：2亿，乙案：1亿，甲案比较有利。同样地，对 B 公司来说也是甲案比较有利，所以如果 A 公司经理投甲案的话甲案就会通过了。但是接下来甲、丙两案表决时，对 B 公司经理和 C 公司经理来说，都是丙案有利，所以 A 公司得到的预算将是 0。为了避免这种情况的发生，A 公司经理在一开始时便投乙案，接下来当乙、丙两案表决时，A 公司经理站到 C 公司这一边使乙案通过，A 公司就可以得到 1 亿的预算资金了。这是退而求其次的选择。

不走重复路

Q104 假设你走在这个迷宫里，会搞不清楚自己的位置。你在每个 T 字路口随机选择下一步的方向，但不能选择回头。如果同一个地方走过两次你就出局了，抵达终点才算赢。你赢的概率有多少？

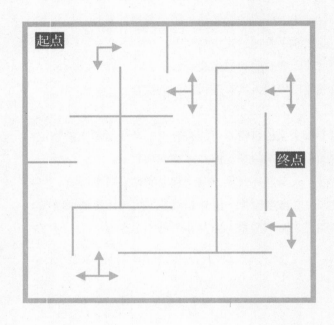

....

[A103] 问题一的答案是 C，问题二的答案是 D

用一个图表可以分清他们各自的关系，你就会一目了然。

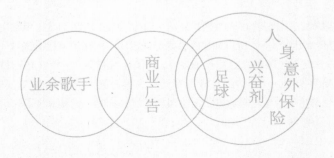

74

一共有多少对

Q105 图中有若干对靠在一起的两个数字相加恰好等于10。这些成对的数字，或横或竖或斜地靠在一起。请找找看，一共有多少对？

7	1	1	8	7	4	7	5	5	3	1	8	1	6	4	3
2	9	6	7	5	9	2	5	3	6	3	1	4	8	4	8
1	6	5	6	2	4	3	6	8	5	6	6	3	9	7	5
3	2	7	8	1	5	9	6	1	8	7	1	5	8	6	2
5	9	2	1	3	3	4	2	2	4	5	7	7	6	7	2
3	4	3	4	8	6	2	4	7	9	8	4	1	6	3	9
8	3	8	9	5	3	1	7	5	7	5	8	5	1	8	5
3	7	5	4	8	9	1	4	2	7	4	3	1	5	6	5
5	1	8	7	1	6	8	7	8	4	3	8	3	3	6	7
2	6	7	4	5	3	5	4	8	5	3	4	8	1	8	5
3	2	6	2	1	8	4	3	9	4	2	4	1	3	5	3
1	4	5	2	7	1	3	5	2	8	5	2	1	8	1	4
8	3	9	9	6	7	2	6	8	1	2	6	9	7	6	4
5	4	3	2	5	9	3	9	8	3	2	6	2	5	9	6
9	4	2	4	8	6	6	9	6	5	6	1	8	3		
3	5	2	7	8	5	1	5	3	7	7	8	7	2	9	5

[A104] 1/2

以下字母代表在每个路口选择的方向

（E=East［东］、W=West［西］、S=South［南］、N=North［北］）：

① E、N、S（赢）   ② E、N、W、N（赢）

③ E、N、W、S、N（输）   ④ E、N、W、S、W（输）

⑤ E、S、E、N（赢）   ⑥ E、S、E、W、N（输）

⑦ E、S、E、W、S（赢）   ⑧ E、S、W（输）

⑨ S、E、N（赢）   ⑩ S、E、W、N、S（输）

⑪ S、E、W、N、W（输）   ⑫ S、E、W、S（赢）

⑬ S、N、N、S（赢）   ⑭ S、N、N、W、N（赢）

⑮ S、N、N、W、S（输）   ⑯ S、N、W（输）

所以，赢的概率是 8/16=1/2。

老师的测试题

Q106 老师出了一道测试题想考考皮皮和琪琪。她写了两张纸条，对折起来后，让皮皮、琪琪一人拿一张，并说："你们手中的纸条上写的数都是自然数，这两数相乘的积是 8 或 16。现在，你们能通过手中纸条上的数字，推出对方手中纸条的数字吗？"

皮皮看了自己手中纸条上的数字后，说："我猜不出琪琪的数字。"

琪琪看了自己手中纸条上的数字后，也说："我猜不出皮皮的数字。"

听了琪琪的话后，皮皮又推算了一会儿，说："我还是猜不出琪琪的数字。

琪琪听了皮皮的话后，重新推算，但也说："我同样推不出来。"

听了琪琪的话后，皮皮很快地说："我知道琪琪手中纸条的数字了。"并报出数字，果然不错。

你知道琪琪手中纸条上的数字是多少吗？

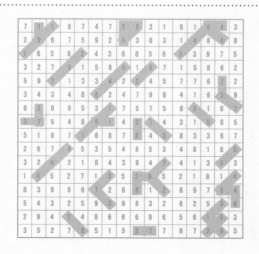

巧移碟子

Q107 有 A、B、C 三张桌子，A 桌上有 4 个从上到下、从小到大叠起来的碟子。现在要把 A 桌上的碟子移到 C 桌上，要求每一次只能任意移动桌子上的一个碟子，每桌上有 2 个或 2 个以上碟子时，碟子必须重叠放置，任何一个碟子不能放在比它小的碟子上。

怎样移才能又快又简便呢？

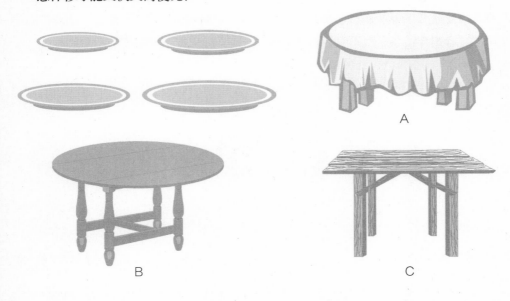

A

B   C

[A106] 两个人手中纸条上的数字都是 4

两个自然数的积为 8 或 16 时，这两个自然数只能为 1，2，4，8，16。可能的组合为：1×8，1×16，2×4，2×8，4×4。

当皮皮第一次说推不出来时，说明皮皮手中的数字不是 16，如是 16，他马上可知琪琪手中的数字是 1。因为只有 16×1 才能满足条件，他猜不出来，说明他手中不是 16，他手中的数可能为 1，2，4，8。同理，当琪琪第一次说推不出时，说明她手中的数不是 16，也不是 1，如是 1，她马上可以知道皮皮手中的数为 8，因前面已排除了 16，只有 8×1=8 能符合条件了，她手中的数可能为 2，4，8。皮皮第二次说推不出，说明他手中的数不是 1 或 8，如是 1，他能推出琪琪手中的数是 8，同理，是 8 的话，能推出琪琪手中的数是 2，这样皮皮手中的数只能为 2 或 4。琪琪第二次说推不出时，说明琪琪手中的数只可能为 4，只有为 4 时，才不能确定皮皮手中的数，如是 2，她可以推出皮皮的数只能为 4，因只有 2×4=8 符合条件；如果是 8，皮皮手中的数只能为 2，因为只有 8×2=16 符合条件。

因此第三轮时，皮皮能推出琪琪手中纸条上的数字是 4。

猜数字游戏

Q108 老师在一张纸上写了4个数字，对甲、乙、丙、丁4位同学说："你们4位是班上最聪明、最会推理、演算的学生。今天，我出一题考考你们。我手中的纸条上写了4个数字，这4个数字是1、2、3、4、5、6、7、8中的任意4个。你们先猜猜各是哪4个数字。"

甲说：2，3，4，5。乙说：1，3，4，8。丙说：1，2，7，8。丁说：1，4，6，7。

听了4个人猜的结果后，老师说："甲和丙两个同学猜对了2个数字，乙和丁同学只猜对了1个数字。你们知道了各自猜的结果，能推算出纸条上写了哪几个数吗？

2，3，4，5。　1，3，4，8。　1，2，7，8。　1，4，6，7。

[A107] 需要 15 次

下面我们就用图示的方法来演示。假设用4、3、2、1四个数字来代表4个盘子，并且数字越大的代表的盘子越大，过程如下：

A	B	C
（1）4，3，2	1	
（2）4，3	1	2
（3）4，3，2		2，1
（4）4	3	2，1
（5）4，1	3	2
（6）4，1	3，2	
（7）4	3，2，1	
（8）	3，2，1	4
（9）	3，2	4，1
（10）2	3	4，1
（11）2，1	3	4
（12）2，1	1	4，3
（13）2	1	4，3
（14）1		4，3，2
（15）		4，3，2，1

数学迷的游戏

Q109 亨利和杰克是一对数学迷,有一天,两人一起碰上亨利的3个熟人A、B、C。
杰克问起那3个人的年龄,亨利说:你很喜欢数学,我告诉你几个条件:

①他们3个人的年龄之积等于2 450;

②他们3个人的年龄之和等于我们两个人的年龄之和(杰克当然知道亨利的年龄)。

现在,你能算出他们的年龄来吗?

杰克根据这两个条件算了好一阵,摇摇头,对亨利说:我算不出来。亨利笑了笑说:我知道你算不出来,我再给你补充一个条件,他们3个人都比我俩的熟人露斯——你当然知道露斯的年龄——要年轻。杰克马上回答说:现在我知道他们的年龄了!

那么,露斯的年龄是多少?

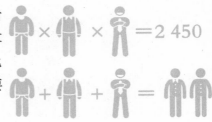

[A108] 能,这四个数字是2,5,6,8

先列出四个人猜的情况。甲猜对了两个数,可能是2–3,2–4,2–5,3–4,3–5,4–5。

乙猜对了一个数,可能是(1,3,4,8)中的1个数,他未猜的4个数(2,5,6,7)中有3个数是纸条上的数。

丙猜对了两个数,可能的组合为1–2,1–7,1–8,2–7,2–8,7–8。

丁猜对了一个数,可能是(1,4,7)中选取1个数,他未猜测的4个数(2,3,5,8)有3个数是纸条中的数。

8个数字中,甲与丙两个人都猜了的数字是2,两个人都没有猜的数字是6。

8个数字中,乙与丁两人都猜了的数字是1,4,两人都没有猜的数字是2,5。

我们先假设2不是纸条上的数。那么从乙未猜的数字中可得出5,6,7是纸条上的数字;同时从丁未猜的数字中可得出3,5,8;这样纸条上的数字就会有5个,分别是3,5,6,7,8。显然,推论与题中纸条上只有4个数字相矛盾,因此假设是错的,也就是2为纸条上的数字。用同样的方法可推出5也在纸条上。

再假设1在纸条上,那么从乙猜的数字中可得出3,4,8不在纸条上。同时,从丁猜的数字中可得出4,6,7不在纸条上。这样不在纸条上的数字有5个,分别是3,4,6,7,8,纸条上只能有3个数字,显然也不正确。所以假设错误,1不在纸条上。用同样的方法,可推出4不在纸条上。

我们知道了2,5在纸条上,从甲猜测对了两个数字可知3,4不在纸条上。这样,在纸条上的数只可能是2,5,6,7,8中的4个。最后,我们来看丙猜测的情况,从他猜测的4个数可知,7与8只能有一个数在纸条上。如7在纸条上,纸条上的数为2,5,6,7。我们发现丁猜对了6,7,显然与题目矛盾。再来检验8,发现刚好能符合条件。

所以,只有一种可能,纸条上的数字是2,5,6,8。

上升还是下降

Q110 在一个装了很多水的大水缸里浮着一个小塑料盆，小塑料盆里装着一个铁球。请问：如果将这个铁球从小塑料盆里取出来直接放进水缸里，水缸的水面比刚才上升了还是下降了？

[A109] 露斯的年龄是 50 岁

这道题要求解题者既想到代数计算又会合理分析。首先，在已给的两个条件下，我们可以算出各种可能的年龄组合：

2 450=7×7×5×5×2；这意味着可能的组合有：

    （1）2，5，245   （2）2，7，175   （3）2，25，49

    （4）5，7，70   （5）5，10，49   （6）5，14，35

    （7）7，7，50   （8）7，10，35

这些年龄之和又分别是：

（1）252；（2）184；（3）76；（4）82；（5）64；（6）54；（7）64；（8）52

杰克是知道亨利＋杰克等于多少的，可是他却说他算不出来！这意味着亨利＋杰克＝64，因为和为 64 的有 2 组情况，这样使得他不知道是第五种还是第七种组合。但他却又知道露斯的年龄，于是根据 A、B、C 都比露斯年轻这一信息，他马上可以断定，第七种组合不符合要求。反过来，我们也可以根据杰克后来知道了结果这一信息，断定露斯只能是 50 岁，因为露斯哪怕大一点点，为 51 岁，杰克就无从找出唯一的年龄组合，使得满足所有已知信息。

[A110] 水位当然下降了

因为铁的比重远大于水，当铁球放在小塑料盆里时，所排走的水的重量等于铁块的重量，体积大约为铁块体积的 7.8 倍。而铁块在水里所能排走的水量仅等于铁块的体积，所以水位会下降。

Part 2
开发思维这样玩，综合素质全面提

燃香计时

有两根粗细不一样的香，烧完的时间都是一个小时。用什么方法能确定一段长 45 分钟的时间？

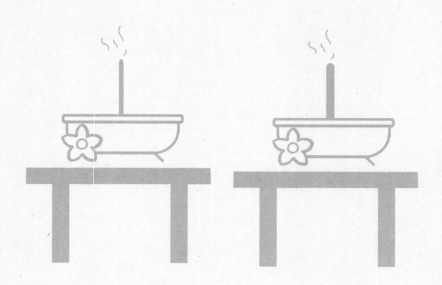

金币与银币

一位王子向公主求婚。公主为了考验王子的智慧，就让仆人端来两个盆，其中一个装着 10 枚金币，另一个装着 10 枚同样大小的银币。仆人把王子的眼睛蒙上，并把两个盆的位置随意调换，请王子随意选一个盆，从里面挑选出 1 枚硬币。如果选中的是金币，公主就嫁给他；如果选中的是银币，那么王子就再也没有机会了。王子听了之后说："能不能在蒙上眼睛之前，任意调换盆里的硬币组合呢？"公主同意了。

请问：王子该怎么调换硬币才能确保更有把握娶到公主呢？

巧倒粮食

Q3 先往一个袋子里装绿豆，用绳子扎紧袋子中部后，再装进小麦。在没有任何容器，也不能将粮食倒在地上或其他地方的情况下，你能把绿豆倒入另一个空袋子中吗？

哪个小球是次品

Q4 一家玩具公司生产的一盒玩具球中有 4 个小球，每个小球都是按照标准的重量制造的。在质检过程中，工作人员发现其中一个小球是次品。现在知道，那个次品的重量要比其他合格品的重量重一些，如果让你用天平只称量一次，你知道如何判断哪个小球是次品吗？

[A1]

将两根香同时点着，但其中一根要两头一起点。两头一起点的香燃尽的时候，时间正好过去半个小时。只点一头的香也正好燃烧了半小时，剩下的半根还需要半个小时。再两头一起点，燃尽剩下的香所用的时间是 15 分钟。这样，两根香全部烧完的时间就是 45 分钟。

[A2]

王子可以在装有金币的盆里留 1 枚金币，把另外 9 枚金币倒入另一个盆里，这样另一个盆里就有 10 枚银币和 9 枚金币。如果他选中那个放 1 枚金币的盆，选中金币的概率是 100%；如果选中放 19 枚钱币的盆，摸到金币的概率最大是 9/19。王子选中两个盆的概率都是 1/2。所以，根据前面的两项概率，得出选中金币总的概率是 100%×1/2 + 9/19×1/2=14/19，这样就远远大于原来未调换前的 1/2。

怎样排队

 如果要24个人站成6排，每排分别有5个人，应该怎么站？

反穿毛衣

 小强有一件漂亮的套头式毛衣，但是他发现毛衣穿反了，印有刺绣的那一面被穿在了后背。他的两个手腕被一根绳子系住了，在不剪断绳子的情况下，他该怎么把套头式毛衣的正面穿在前面（毛衣没有扣子）？

....

[A3]

先把袋子中上半部分的小麦倒入空袋子，解开袋子上的绳子，并将它扎在已倒入小麦的袋子上，然后把这个袋子的里面翻到外面，再把绿豆倒入袋子。这时候，把已倒空的袋子接在装有小麦和绿豆的袋子下面，把手伸进绿豆里解开绳子，这样小麦就会倒入这只空袋子，另一个袋子里就是绿豆。

[A4]

在天平两端各放两个小球，次品的那端肯定重。然后，在天平两端各拿走一个小球，如果这时天平是平衡的，那么刚才重的那端拿走的小球是次品；如果天平还是不平衡，那么现在天平上重的那端的小球就是次品。

最后一个数是什么

 仔细观察下面一组数的排列规律，选出"？"处的数字。

21.1   23.1   25.1   ？

你能从给出的选项中找出合适的一项代替问号吗？

A 29.3   B 34.5   C 27.1   D 28.4

男生和女生

 周末，老师带领一些学生去郊外游玩。男生戴的是蓝色的帽子，女生戴的是黄色的帽子。但每个男生都说：蓝色的帽子和黄色的帽子一样多；而每个女生说：蓝色的帽子比黄色的帽子多一倍。

请问：男生和女生各有多少个？

[A5]

[A6]

首先，把毛衣从头上脱下，这样就把它翻了个面，让它的里面向外挂在绳子上。

然后，把毛衣从它的一只袖子中塞过去，这样又翻了个面。现在它正面向外挂在绳子上。最后，把毛衣套过头穿上，这样就把毛衣的正面穿在前面了。

吝啬鬼的把戏

Q9 有一个吝啬鬼去饭店吃面条，他花 1 元钱点了一份清汤面。面上来了，他又要求换一碗 2 元钱的西红柿鸡蛋面。

服务员对他说："你还没有付钱呢！"

吝啬鬼说："我刚才不是付过了吗？"

服务员说："刚才你付的是 1 元钱，而你吃的这碗面是 2 元钱的，还差 1 元呢！"

吝啬鬼说："不错，我刚才付了 1 元钱，现在又把值 1 元钱的面还给了你，不是刚好吗？"

服务员说："那碗面本来就是店里的呀！"他说："对呀！我不是还给你了吗？"

这么简单的账怎么就弄糊涂了呢？吝啬鬼真的不需要付钱了吗？

请病假

Q10 有一天，凯凯不想去上学，就让同学帮他带了一张请假条给班主任。为了表明自己真的病得很严重，凯凯用圆珠笔写了满满一张纸描述病情，并强调说自己是躺在病床上仰面写的。但班主任看了之后，就知道凯凯是想逃课。你知道，班主任是怎么看出来的吗？

[A7]　C

小数点左边：21、23、25，后一个数字比前一个数字多 2，所以最后一个应为 27，小数点右边则均为 1。

[A8]　男生有 4 个，女生有 3 个

这道题的关键在于，男生看女生（或女生看男生）时，都没有把自己计算在内。

设：男生人数为 x，女生人数为 y。

男生看女生，人数一样多（在看的男生不包括在内）即可以列为方程：$x-1=y$；

女生看男生，男生的人数是女生的 2 倍（在看的女生不包括在内）即可列为方程：

$$2 \times (y-1) = x$$

解得 $y=3$，$x=4$。

丢失的稿件

一阵清风把一堆没有装订的稿件吹散了，找回来的稿件中丢失了 1 页，仔细观察下图稿件上的页码，然后想想是哪一页没有找回来呢？

餐厅的面试题

一位刚毕业的学生到一家大型餐厅应聘主管。主考官出了这样一道题目来考他：请在正方形的餐桌周围摆上 10 把椅子，使桌子每一面的椅子数都相等。应聘者想了很久都没有想出来，你能帮帮他吗？

[A9]

在这笔糊涂账中，关键在于第一次的 1 元钱已经"变"成了面条，不能再算了。吝啬鬼还应该再付 1 元钱。

[A10]

圆珠笔如果倒着朝上写字，笔芯里面的笔油失去地球引力就不再与滚珠接触，没有笔油的圆珠笔很快就写不出字了。不信你可以试一试。

串冰糖葫芦

 如图所示，一共有9颗冰糖葫芦，把3颗冰糖葫芦串成一串，可以串成8串。现在只需要移动2颗冰糖葫芦，就可以串成10串，但还是3颗冰糖葫芦串在一起。一共有几种串法？

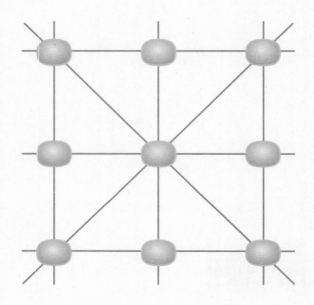

....

[A11] 丢失的是 7 ～ 8 页

稿件中有第1页，由此可以确定背面是第2页，这样就能确定这组稿件的页码排列应该是1 ～ 2，3 ～ 4，5 ～ 6，7 ～ 8，9 ～ 10，11 ～ 12，13 ～ 14，15 ～ 16。对比图中已有的页码，就能看出是缺少了哪一页。

[A12]

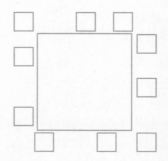

骑马比赛

Q14 一场骑马比赛正在进行，哪匹马走得最慢就是胜利者。于是，两匹马慢得几乎停止不前，这样进行下去，比赛什么时候才能结束呢？在保证能选出最慢者（优胜者）的前提下，你能想办法让比赛尽快结束吗？

贴了多少张邮票

Q15 业务员要给客户寄 12 封信，他有 1 元、2 元、5 元、10 元面值的邮票。每封信邮票金额不同，每封信邮票张数要尽可能少，他共贴了 80 元的邮票。你知道他共贴了多少张邮票吗？

[A13] 3 种。如图：

本领最高的神枪手

Q16 如图，一张只有 3 条腿的桌子上有 4 个瓶子，3 位神枪手聚在一起，欲比一比谁的本事大，他们打算用最少的子弹射倒 4 个瓶子。甲用了 3 枪就射倒 4 个瓶子。轮到了乙，他只用了 2 枪。神奇的是丙，他只用了一枪就将 4 个瓶子射倒了。当然，最后丙的本事最高。但你知道他们分别是怎么射的吗？

[A14]

可以让两个赛手的马交换，这样，两个赛手都想使自己骑着的对方的马跑得快点。把"比慢"变成"比快"，比赛很快就能结束了。

[A15] 23 张

已知 12 封信的邮票金额都不相同，假设这 12 封信的邮票金额分别为 1、2、3……10、11、12，1+2+3+……+10+11+12=78，距离 80 还差 2，这一假设还需修正。此时，为满足"12 封信的邮票金额都不相同"这一条件，最后三个数有两种选择：10、11、14 与 10、12、13。无论哪种选择，当你用 1、2、5、10 四种邮票面额去凑这 12 个数的时候，最少都需要 23 张邮票。

生物实验室的事故

Q17 这天早晨，在某国生物实验室上班的基因工程师辛贝尔刚到办公室，就发现实验室被破坏得一塌糊涂。更为严重的是，用来做基因实验的 3 只波斯猫跑了 2 只。像这种携带了老鼠和狗基因的猫，很可能会同时患上鼠疫和狂犬病，而猫类本身携带的病菌也会同时滋生，最终产生可怕的新病毒。这种病毒一旦传染出去，人类将面临严峻的考验。辛贝尔赶忙拿起电话，用最快的速度报了警。

警察戴上防毒面具，穿上防护服，在第一时间封锁了现场，终于在食堂的水池边上发现了 2 只波斯猫的踪迹。它们正在吃一条鲤鱼呢！警察悄悄地包围过去，并用麻醉弹准确击中了 2 只波斯猫，2 只猫咪晃了晃，倒了下去。

这时，辛贝尔工程师却发现了新的问题：猫咪在吃水鲤鱼的过程中，很可能会把病菌传播到鲤鱼身上，而鲤鱼又通过水源影响到人类和其他同类，后果同样严重！现在，需要把所有鲤鱼都捞出来处理掉，其他鱼类则可以不必理会。

问题是，食堂的水池里有那么多种鱼，鲤鱼究竟有多少条呢？警察找来了食堂负责人询问。

负责人肯定地说道，水池里所有的鱼都是昨天刚买回来的，一共花了 3 600 元。根据账目记载，青鱼 130 元一条，带鱼 104 元一条，鳜鱼 78 元一条，鲤鱼 170 元一条。除了被猫咪吃掉的一条鲤鱼以外，没有其他损失。

大家一时想不出有多少条鲤鱼。辛贝尔看到众人疑惑不解的样子，忍不住说道："这不是已经很明显了吗？我上小学的外甥都能解决这个问题。"

接着，辛贝尔给众人作了分析，大家恍然大悟。

请问：你知道池塘里到底有多少条鲤鱼吗？

....

[A16] 甲 3 枪，乙 2 枪。如图：

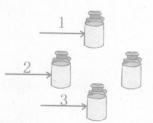

丙：把桌子的一条腿射断了，桌子倒了，桌上的瓶当然全部不能自保了。

天气预报

 天气预报说今天半夜 12 点钟会下雨,那么 72 小时后会出太阳吗?

兔子的重量

 第一组兔子共重 18.5 千克,4 只大兔子和 3 只小兔子;第二组兔子共重 16.5 千克,3 只大兔子和 4 只小兔子。如果不用方程组,你知道大兔子和小兔子的重量各为多少?

　　提示:仔细看看,我们发现,第一组比第二组多一只大兔子,少一只小兔子,重量相差 2 千克。

[A17] 鲤鱼共 12 条,除去被吃掉的 1 条,还剩下 11 条

观察价格,你就会发现,青鱼、带鱼和鳜鱼的价格都是 13 的倍数,也就是说,无论这三种鱼买多少条,其价格总和也将是 13 的倍数。

用鲤鱼的价格数 170 除以 13 的余数是 1,也就是说,每买一条鲤鱼剩 1 元。用 3 600 除以 13,余数是 12,说明鲤鱼一共有 12 条。至于其他鱼有多少条,就不在考虑范围之内了。

新手司机

Q20 一位新手司机驾驶小轿车去见朋友，半路上忽然有一个轮胎破了。当他把轮胎上的 4 个螺丝拆下来，从后备厢里把备用轮胎拿出来时，不小心把 4 个螺丝踢进了下水道。

请问：新手司机该怎么做才能使轿车安全地开到距离最近的修车厂？

不落地的苹果

Q21 把一个苹果系在一根 3 米左右长的线的一端，另一端系在高处，把苹果悬挂起来，你能够从中间剪断这根线，并保证苹果不会落地吗？

....

[A18]

如果事情不是发生在极圈的话，那么就不会出现太阳。因为再过 72 小时，就是 3 昼夜，又是半夜 12 点，而夜里是不会出太阳的。

[A19] 大兔子重 3.5 千克，小兔子重 1.5 千克

由提示可知：小兔子和大兔子的重量相差 2 千克。我们再把上面的所有大兔子换成小兔子，上面就有 7 只小兔子，重量就比之前的 18.5 千克减少了 8 千克，那么，就得出了 7 只小兔子的重量是 18.5−8=10.5 千克，所以一只小兔子重 1.5 千克，一只大兔子重 3.5 千克。

怎么过桥

Q22 一辆货车满载着6吨的钢索前进，但在行进中遇到了一座桥梁。桥头的标志牌上写着：最大载重量7吨。然而，光货车车身就重2吨，再加上钢索，明显超过了桥的载重量。你能想办法帮司机通过这座桥吗？

找到规律

Q23 你能看出最后一个三角形的右下角问号处应该是什么数字吗？仔细观察数字的排列规律，写上正确的数字。

9	4	2	2
34	24	36	32
3　　5	7　　1	10　　6	7　　?

[A20]

从其他3个轮胎上各取下1个螺丝，用3个螺丝去固定刚换上的轮胎。

[A21]

在线的中间打一个活结，使结旁多出一股线来，从线套中间剪断，苹果就不会落下来。

荒谬的规定

Q24 古时候，有一个国家的国王为了让更多的男人能拥有更多的妻子，就颁布了这样一条规定：一位母亲生了第一个男孩后，她就立即被禁止再生小孩。这样的话，有些家庭就会有几个女孩而只有一个男孩，就不会有一个以上的男孩。所以，用不了多久，女性人口就会大大超过男性人口了。你认为这条规定可以实现他的"愿望"吗?

羽毛球能手

Q25 张老师、他的妹妹、他的儿子和女儿都是羽毛球能手。关于这4人的情况如下:
①常胜将军的双胞胎兄弟或姐妹与表现最差的人性别不同。
②常胜将军与表现最差的人年龄相同。

请问：这4人中谁是常胜将军?

[A22]

钢索的总重量虽然很大，但是整个重量是分布在全部长度上的。所以，可以把钢索放在地上，由货车拖着过桥，使分摊在桥上的重量不超过桥的载重量，便可以顺利通过大桥。等过了桥，再把钢索装到车上。

[A23] 7

每个三角形的数字排列规律是：三角的3个数相加，再乘以2，即为中间的数。所以问号处的数应该是：$32÷2-（2+7）=7$。

小魔女们的小狗

Q26 小林子、小欢子、小安子、小丹子 4 个小魔女每人都养了小狗，但数量各不相同，并且她们眼睛的颜色和她们所穿的魔女服装的颜色各不相同。

小狗的数量有：1 只、2 只、3 只、4 只。

眼睛颜色分别是：灰色、绿色、蓝色、红色。

服装颜色分别是：黑色、红色、紫色、茶色。

请根据如下条件判断她们每个人眼睛的颜色、魔女服装的颜色、饲养小狗的数量。

①灰色眼睛的魔女和黑色服装的魔女和小欢子 3 人共有 8 只小狗。

②绿色眼睛的魔女和红色服装的魔女和小安子 3 人共有 9 只小狗。

③红色眼睛的魔女和茶色服装的魔女和小丹子 3 人共有 7 只小狗。

④紫色服装的魔女的眼睛不是灰色的。

⑤小安子的眼睛不是蓝色的。

⑥小欢子的眼睛是红色的。

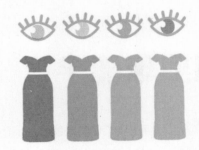

⊙ 答案见 98 页。

[A24] 不可能

按照统计规律，全部妇女所生的头胎中男女比例各占一半。如果母亲生了男孩就不能再生孩子，而生女孩的母亲仍然可以生第二胎，比例是男女各占一半。生男孩的母亲退出生育的队伍，生女孩的仍然可以生第三胎。在每一轮比例中，男女的比例都各占一半。因此，将各轮生育的结果相加起来，男女比例始终相等。当女孩们成长起来成为新的母亲时，上面的结论同样适用。

[A25] 常胜将军是张老师的女儿

根据②常胜将军与表现最差的人年龄相同；根据①常胜将军的双胞胎与表现最差的人性别不同，因此 4 个人中有 3 个人的年龄相同。由于张老师的年龄肯定比他的儿子和女儿大，从而年龄相同的必定是他的儿子、女儿和妹妹，这样，张老师的儿子和女儿必定是①中所指的双胞胎。因此，张老师的儿子或者女儿是常胜将军，而张老师的妹妹是表现最差的选手。根据①，常胜将军的双胞胎兄弟或姐妹一定是张老师的儿子，而常胜将军无疑是张老师的女儿。

礼服和围巾的问题

下面有 3 个礼盒，盒子上都有标签，但是这些标签和内容都完全不符合。请问：你应在哪几个盒子里检查其中的物品，才能确定其他盒子里有什么物品？

3 件晚礼服　　　　　　　　3 条围巾　　　　　　2 件晚礼服 1 条围巾

○ 答案见 99 页。

昆虫聚会

蜜蜂、蝴蝶、蜻蜓如图 A 所示正排队参加昆虫聚会。忽然，队长让它们变成了如图 B 的排列。如果：

①相邻的叶子是空的，就可以飞过去。

②隔一个叶子相邻的叶子是空的，也可以飞过去。

③不可以两只昆虫同时停在一片叶子上。

　请问：它们一共要飞几次才能完成图 B 的顺序呢？

○ 答案见 99 页。

两个乒乓球

Q29 小雪一直吵着要明明陪她一起打乒乓球。明明被吵得实在受不了，于是想了一个妙计："小雪，这袋子里放了两个乒乓球，一个黄色的，另一个是白色的。现在，你要伸手进去拿乒乓球。如果你拿到黄色的，我陪你玩，但如果拿到白色的，你就要放弃了，而且不能再吵我！"

小雪的眼睛顿时亮了起来，但此时却瞥见转过身的明明放了两个白色乒乓球进去。那么，不论她拿到哪一个都会是白色的。

请问：小雪是不是玩不成乒乓球了？

[A26]

根据①⑥，灰色眼睛的魔女、黑色服装的魔女、小欢子（红色眼睛），3人饲养的小狗是1只、3只、4只（顺序不确定）……Ⅰ

根据②，绿色眼睛的魔女、红色服装的魔女、小安子3人饲养的小狗分别是2只、3只、4只（顺序不确定）……Ⅱ

根据③⑥，红色眼睛的魔女、茶色服装的魔女、小丹子3人饲养的小狗分别是1只、2只、4只（顺序不确定）……Ⅲ

小安子的眼睛不是红色的（⑥），也不是蓝色的（⑤），也不是绿色的（②），所以是灰色的。

灰色眼睛的是小安子，所以不是红色衣服（②），也不是紫色衣服（④），也不是黑色衣服（①），应该是茶色衣服。

灰色眼睛的魔女在Ⅰ、Ⅱ、Ⅲ里面都出现过了，所以养了4只狗。还有1个人，是在Ⅰ、Ⅲ里都出现过的红色眼睛的魔女（小欢子）养了一只狗，所以，黑色衣服的魔女和小丹子不是同一个人。

根据Ⅰ黑衣魔女有3只小狗，在Ⅰ、Ⅱ里面都出现过的黑衣魔女和绿色眼睛的魔女是同一个人，黑衣魔女（绿色眼睛，3只）和小丹子不是同一个人，所以是小林子。

根据Ⅱ，红色衣服的魔女是小丹子。

所以，小林子的眼睛是绿色的，穿了黑色的服装，养了3只小狗；小欢子的眼睛是红色的，穿了紫色的衣服，养了1只小狗；小安子的眼睛是灰色的，穿了茶色的衣服，养了4只小狗；小丹子的眼睛是蓝色的，穿了红色的衣服，养了2只小狗。

多少枚钻戒

人间来了4位天使。她们4个人的手上都戴着1枚以上的钻戒，4人的钻戒总数是10枚。她们4个人说的话刚好被魔鬼听见了。其中，有2枚钻戒的人的话是假话，其他人的话是真话。另外，有2枚钻戒的人可能存在两人以上。

丽丽："艾艾和拉拉的钻戒总数为5。"

艾艾："拉拉和米米的钻戒总数为5。"

拉拉："米米和丽丽的钻戒总数为5。"

米米："丽丽和艾艾的钻戒总数为4。"

请问：她们每个人的手上各戴有多少枚钻戒？

....

[A27]

你只需要检查"2件晚礼服、1条围巾"的盒子里装的是什么物品，就行了。如果里面装的是3件晚礼服，那么"3条围巾"的盒子里装的就是"2件晚礼服1条围巾"，另一个盒子里装的就是3条围巾；如果里面装的是3条围巾，那么"3件晚礼服"的盒子里装的就是"2件晚礼服、1条围巾"，那么另一个盒子里装的就是3件晚礼服。

[A28] 5次。如图：

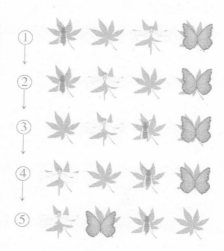

[A29] 当然不是

小雪从袋子里拿出一个乒乓球之后，立刻藏在身后。明明肯定要求小雪把它亮出来，而此时小雪就说："我亮不亮出来没有关系，只要看看袋子里面留下的是什么颜色的乒乓球，就知道我拿的是什么颜色的乒乓球。"

明明当然会无话可说。

真假钻石

Q31 年事已高的国王想从众多儿子当中挑选继承人。为了考验儿子们的智慧，国王拿出 10 颗钻石，其中带有标记的一颗才是真钻石。然后，他将这 10 颗钻石围成一圈，由大家轮流按规则挑选，即任选一颗为起点，接着按照顺时针的方向数，数到 17 的时候这颗钻石就被淘汰，依次类推，继续数下去，直到最后只剩下一颗钻石。这样，谁得到那颗真钻石，谁就可以做皇位的继承人。

假如你是皇子，你该怎么数才可以得到那颗真钻石呢？

避暑山庄

Q32 甲、乙、丙、丁 4 人分别在上个月不同时间内入住到避暑山庄，又在不同的时间分别退了房。现在只知道：

①滞留时间（比如从 7 日入住，8 日离开，滞留时间为 2 天）最短的是甲，最长的是丁。乙和丙滞留的时间相同。

②丁不是 8 日离开的。

③丁入住的那天，丙已经住在那里了。入住时间是：1 日、2 日、3 日、4 日。

离开时间是：5 日、6 日、7 日、8 日。你知道他们 4 人分别的入住时间和离开时间吗？

....

[A30] 丽丽：2 枚；艾艾：2 枚；拉拉：2 枚；米米：4 枚

4 个人共有 10 枚钻戒：

艾艾 + 拉拉 =5 的话，米米 + 丽丽 =5；艾艾 + 拉拉 ≠ 5 的话，米米 + 丽丽 ≠ 5；所以丽丽和拉拉或者都说了实话，或是都撒了谎。

假设她们都说了实话，丽丽 ≠ 2，拉拉 ≠ 2。由于拉拉的发言是真实的，米米 ≠ 3。

假设艾艾的话是真的（艾艾 ≠ 2），由于拉拉 + 米米 =5，可得艾艾 + 丽丽 =5，米米的话是假的，所以米米 =2。因此，拉拉 =3，丽丽的话就变成假的了。

因此，艾艾的话是假的，艾艾 =2。由于艾艾 + 丽丽 ≠ 4，所以米米的话是假的，米米 =2。

由于丽丽的话是真的，所以拉拉 =3。

那么，拉拉 + 米米 =5，就成了艾艾有 2 枚却又说了真话，这是自相矛盾的。

由此推知，前面的假设是不成立的。

她们都撒了谎，即丽丽 =2、拉拉 =2。

由拉拉的发言（假的）可知，米米不等于 3。

所以，艾艾的发言是假的，艾艾 =2，剩下的米米就是 4 枚。

100

谁做家务

 丁丁经常喜欢和他的两个同胞兄弟用猜拳来决定谁做家务，可老是平手，分不出胜负。于是，丁丁就想：如果一次只有两个人的话，就不会出现这么多次平手了。

你认为丁丁的想法正确吗？

称粮食

 大米、小米和玉米分别装在3只袋子里，它们的重量都在17.5千克到20千克之间。用一台最少称25千克的磅秤，最多称几次就能称出小米、大米和玉米各重多少千克？

....

[A31] 从真钻石的前2颗开始数就能拿到那颗真钻石

这里有一个规律：无论从哪一颗钻石开始数起，每次拿走第17颗，依此进行，最后剩下来的，必然是最初数的第3颗钻石。所以从真钻石的前2颗开始数，就能拿到真钻石，不想拿的话就不从真钻石的前2颗数，不信你可以试试。

[A32]

根据①得知，最长时间是丁，天数在6天（根据②③来看，丁入住时间最长，是从2日入住到7日离开的）。

假设乙和丙分别滞留了4天以下，因为丁是6天以下，甲若是6天以上，就不是最短的，所以乙和丙都是5天。

根据③可知，丙是从1日入住到5日。如果乙是从3日入住的话，7日离开，那就与丁重合了，所以乙是从4日入住到8日。剩下的甲就是从3日到6日（滞留了4日）。

因此，甲是从3日入住6日离开的；乙是从4日入住8日离开的；丙是从1日入住5日离开的；丁是从2日入住7日离开的。

白马王子

Q35 罗萨公主心目中的白马王子是高鼻子、白皮肤、长相帅气的男士。她认识亚历山大、汤姆、杰克、皮特4位男士，其中只有一位符合她要求的全部条件。

①4位男士中，只有3人是高鼻子，只有两人是白皮肤，只有一人长相帅气。

②每位男士都至少符合一个条件。

③亚历山大和汤姆都不是白皮肤。

④汤姆和杰克鼻子都很高。

⑤杰克和皮特并非都是高鼻子。

请问：谁符合罗萨公主要求的全部条件？

压岁钱

Q36 洋洋是一个节俭的孩子。刚过完新年，他就把大人们给他的压岁钱都存进了银行。他的4个兄弟姐妹都很想知道洋洋到底有多少压岁钱。

哥哥说：洋洋有500元压岁钱。姐姐说：洋洋至少有1 000元压岁钱。弟弟说：我猜哥哥的压岁钱不到2 000元。妹妹说：哥哥的存折上最少有100元。这4个人中，只有一个人猜对了。你能推断出洋洋到底有多少压岁钱吗？

[A33] 不正确

两个人猜拳的排列组合有9种（3×3），所以有1/3的机会是平手。

而3个人猜拳时，排列组合有27种（3×3×3），会造成平手的情况如下："石头、石头、石头"；"石头、布、剪刀"；"石头、剪刀、布"；"剪刀、石头、布"；"剪刀、剪刀、剪刀"；"剪刀、布、石头"；"布、石头、剪刀"；"布、剪刀、石头"；"布、布、布"。因此也是9种情况，平手的机会一样是1/3。

[A34] 最多称3次

把3袋粮食按大米和玉米、玉米和小米、大米和小米的顺序组合在一起各称一次。把3次的重量加起来除以2，就得到一袋大米、一袋小米和一袋玉米的总重量。然后，把总重量分别减去大米和玉米、玉米和小米、大米和小米的重量，就能算出小米、大米和玉米各重多少了。

花瓣游戏

Q37 有两个女孩摘了一朵有着 13 片花瓣的圆形的花，两人可以轮流摘掉一片花瓣或相邻的两片花瓣。谁摘掉最后的花瓣谁就是赢家。实际上，只要掌握一定的技巧，就能让自己永远都是赢家。

你知道怎样才能在这场游戏中取胜吗？先摘还是后摘？应采取怎样的技巧呢？

闹钟罢工后的闹剧

Q38 一天，同住一个院子里的小朋友们的闹钟同时罢工，所有人都起得很晚。由于大人都出去了，家里又没有日历，他们就围在一起讨论今天是星期几。

小红：后天星期三。

小华：不对，今天是星期三。

小江：你们都错了，明天是星期三。

小波：今天既不是星期一也不是星期二，更不是星期三。

小明：我确信昨天是星期四。

小芳：不对，明天是星期四。

小美：不管怎样，昨天不是星期六。

他们之中只有一个人讲对了，是哪一个呢？今天到底是星期几？

[A35] 只有杰克符合她要求的全部条件

因为亚历山大、汤姆和皮特只符合一个条件，只有杰克符合两个条件。答案是唯一的，所以杰克也必然符合第三个条件。

[A36]

如果哥哥猜对的话，那么弟弟和妹妹都对；如果姐姐猜对的话，那么妹妹也对；如果妹妹猜对的话，那么哥哥也对。因此，无论你怎么假设，最后只有一个人猜对，这个人就是弟弟，即洋洋的压岁钱不到 2 000 元。

同颜色的糖块

有一瓶糖块,其中有红、黄、蓝3种颜色。如果蒙上你的眼睛,让你抓取两个同种颜色的糖块:请问抓取多少个才能确定你抓到的糖块中至少有两块同样颜色的糖块?

保安的难题

一个库房有15个仓库,下面是平面图。库房保安每天从入口进去,他要一间一间地逐个房间巡视,再把房间锁好,最后回管理室中休息(图中有○标记的地方)。如果保安只能去每个房间一次,请问:他该怎样走呢?

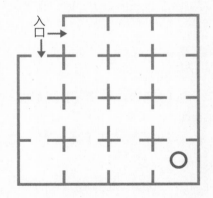

....

[A37] 后摘者只要保证花瓣剩下数量相等的两组(两组之间)被摘除花瓣的空缺隔开,就一定能赢得这个游戏

比如,先摘者摘一片花瓣,则后摘者摘取另一边的两片花瓣,留下各有五片的两组花瓣。如果先摘者摘取两片花瓣,则后摘者摘一片花瓣,同样形成那种格局。之后,前者摘除几片,后者就在另一组中摘除同样多的花瓣。通过这种办法,到最后那一步,她肯定能赢得最终胜利。

[A38]

7个人的观点如下:小红:星期一;小华:星期三;小江:星期二;小波:星期四、五或星期六、星期日;小明:星期五;小芳:星期三;小美:星期一、二、三、四、五或六。
综上所述,除了星期日外,都不止一个人说到,因此,今天是星期日,他们都可以睡一会儿懒觉,小波所说正确。

花样扑克

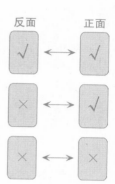

反面　　正面

Q41 有一个人经常玩扑克牌，而且是变着花样地玩。一天，他摆出做了标记的3张扑克（如图），扑克正反两面分别画上√或×。他说他可以把这3张扑克给任何人，在不让他看到的情况下选出一张，放在桌上，朝上的是正面或反面都没有关系。只要他看了朝上的那面后，就会猜出朝下的是什么标记。猜对了，请对方给他100元；猜错了，他就给对方200元。扑克上√和×占总数各半，也没有其他任何记号。

你觉得他有胜算吗？

两个电话

Q42 有一个朋友打电话向保罗问了一个问题。保罗回答说："哦，我告诉你吧。"挂了电话后，过了一会儿，又有一个朋友打电话来，问了他一个几乎一样的问题，这次保罗却回答："笨蛋！这我怎么会知道？"

保罗跟这位朋友也不是关系特别不好，也不是在开玩笑。

请你想想，他到底被这两个朋友问了什么样的问题？

....

[A39] 只要抓取四块就可以了

随意抓取三块糖，可能红、黄、蓝各一种。只要抓取四块就一定能确定有两块同样颜色的糖。

[A40] 如图：

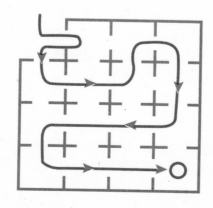

血缘关系

 一天，汤姆叔叔和他妹妹尼萨一起在街上散步，突然汤姆叔叔想起来："对了，小外甥在前面那家店打工，我去看看他，顺便买点东西。"

"噢，我可没有外甥。"说完，尼萨就先回家了。

请问：尼萨和那位神秘的外甥是什么关系呢？

一封来自国外的信

 有一天，汤姆收到一封来自国外的信，信的内容是这样的："今天我在湖中痛快地游了一次泳。以前，你们一直嘲笑我是一个旱鸭子，可这一次，我的表现实在是太棒了！我发现游泳真的是一种享受。我能够游仰泳。当我伸展四肢浮在水面上仰望蓝天、白云时，简直像进了天堂一般。我甚至还到了海平面下390米，并且没有使用任何潜水工具。说了这么多，你一定认为我是在撒谎，但我说的是千真万确，只不过游泳之后感到皮肤很粗糙……"

看了上面这封信，汤姆一直觉得他的朋友是在吹牛。那么他是在吹牛吗？可信度到底有多少？

....

[A41] 有胜算

假设朝上的是√，朝下的是√或×的机会并不是一半一半。

朝下的是√的机会有两个：一个是第一张卡片的正面朝上时；另一个是第一张卡片的反面朝上时。

但朝下的是×的机会，只有当第二张卡片正面朝上的时候。

也就是说，只要回答朝上那面的图案，他就有2/3机会赢。

[A42]

这个问题的答案可以有好多种，关键是时间要错开。例如在晚上11点57分左右，第一个朋友问他："今天足球赛的结果如何？"然后过了12点进入新的一天后，另一个朋友打来电话问同样的问题。

失算的老师

10 个同学来到教室，为座位问题争论不休。有的人说，按年龄大小就座；有的人说，按学习好坏就座；还有人要求按个子高矮就座。

老师对他们说："孩子们，你们最好停止争论，任意就座。"

这 10 个同学随便坐了下来，老师继续说道："请记下你们现在就座的次序，明天来上课时，再按新的次序就座；后天再按新的次序就座，反正每次来时都按新的次序，直到每个人把所有的位子都坐过为止。如果你们再一次坐回现在所安排的位子，我将给你们放假一年。"

请你算算看，老师隔多少日子才给他们放假一年呢？

水为什么不溢出来

在一个盛满水的鱼缸里，将小木块、小石块或者橡皮等物品放进去，水就会从鱼缸里溢出来。但是，为什么把一条与上述物品同样体积的小金鱼放进去，水却不会溢出来呢？

[A43]

尼萨是在前面那家店打工的男孩的妈妈，不过，看起来，尼萨和她儿子感情不是太好。

[A44] 他没有吹牛

因为他游的是死海，死海中所含的盐分很高，几乎是一般海水的 7 倍，所以浮力很大，人在水中根本就不会下沉。死海比海平面低 390 米，所以只要下潜一点点，就可以到海平面以下 390 多米了。

玩牌

Q47 3个探险家结伴去原始森林探险，路上觉得十分乏味，就聚在一起玩牌。

第一局，甲输给了乙和丙，使他们每人的钱数都翻了一番。第二局，甲和乙一起赢了，这样他们俩口袋里面的钱也都翻了倍。第三局，甲和丙又赢了，这样他们俩口袋里的钱都翻了一倍。结果，这3位探险家每人都赢了两局而输掉了一局，最后，3个人手中的钱是完全一样的。细心的甲数了数他钱袋里的钱发现他自己输掉了100元。你能推算出甲、乙、丙3人刚开始时各有多少钱吗？

少了1元钱

Q48 一位老婆婆靠卖蛋营生。她每天卖鸡蛋、鸭蛋各30个，其中鸡蛋每3个卖1元钱，鸭蛋每2个卖1元钱，这样一天可以卖得25元钱。忽然有一天，有一位路人告诉她，把鸡蛋和鸭蛋混在一起每5个卖2元，可以卖得快一些。第二天，老婆婆就尝试着这样做，结果却只得到了24元。老婆婆很纳闷，蛋没少怎么钱少了1块，这1元钱去哪里了呢？

....

[A45] 实际上是办不到的

因为安排座位的数字太大了。它需要 $10 \times 9 \times 8 \times 7 \times 6 \times 5 \times 4 \times 3 \times 2 \times 1 = 3\ 628\ 800$ 天，这个数字的天数相当于大约 10 000 年！

[A46] 水根本不可能不溢出

你是不是在想类似"因为金鱼有鳞片，或者金鱼把水喝到肚子里去了"等答案呢？你可以动手试一试，把小金鱼放进去，会发现水同样会溢出来。这是曾两次获得诺贝尔奖的居里夫人小时候做的一道题。培养创造性思维，需要我们不迷信某种解题技巧，遵循科学规律，亲自动手试一试便知道。

什么骗了你

 下面两组图形中,两个正方形哪一个大? 两条对角线哪一条长?

吃樱桃

 桌上有一个用火柴棒拼成的杯子,杯子内放有一颗晶莹剔透的樱桃。如果你想吃到这颗樱桃的话,只能挪动 2 根火柴棒,把樱桃从杯子中拿出来。你知道该怎么挪动吗?

[A47] 刚开始甲有 260 元,乙有 80 元,丙有 140 元

提示:用倒推法。

[A48]

原来 1 只鸡蛋可卖到 1/3 元,1 只鸭蛋可以卖到 1/2 元,平均价格是每只(1/2 + 1/3)÷2=5/12 元。但是混卖之后,1 只鸭蛋和 1 只鸡蛋平均卖到 2/5 元钱,比第一天的平均价格少了 5/12 - 2/5=1/60 元。60 只蛋正好少了 1 元钱。

只剩 5 个正方形

 右图是由 20 根火柴棒排成的大小相同的 7 个正方形。试移动 3 根火柴棒，放在适当的位置，使图中只有 5 个正方形。

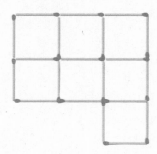

台历日期

 台历上斜着的三个日期的数字之和为 42，请问这三个日期为哪三天呢？

[A49] 两个正方形大小相等，两条对角线长短相等

是你的眼睛"欺骗"了你，使你产生了错觉，不信就用尺子量一量。

[A50]

转动的距离

 两个圆环，半径分别是 1 和 2，小圆在大圆内绕圆周一周，问小圆自身转了几圈？如果在大圆的外部，小圆自身转几圈呢？

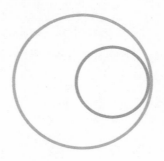

和为 18

 请你将 1 ～ 8 这 8 个数字分别填到下图中的 8 个方格内，使方格里的数不论是上下左右中，还是对角的四个方格以及四个角之和都等于 18。想想你该怎么填？

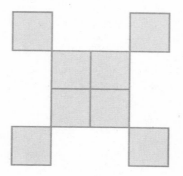

[A51]

[A52] 6 号、14 号、22 号

这 3 个日期分别是星期二、星期三、星期四，假设星期三的日期为 x，则 $(x-8) +x+ (x+8) =42$。这样可以得出 $x=14$。所以这三天应该是 6 号、14 号、22 号。

奇怪的现象

 有一个魔术师发现这样一个奇怪的现象：一个正方形被分割成几小块后，重新组合成一个同样大小的正方形时，它的中间却有个洞！

他把一张方格纸贴在纸板上，按图1画上正方形，然后沿图示的直线切成5小块。当他照图2的样子把这些小块拼成正方形的时候，中间真的出现了一个洞！

图1的正方形是由49个小正方形组成的，图2的正方形却只有48个小正方形。究竟出了什么问题？那个小正方形到底到哪儿去了？

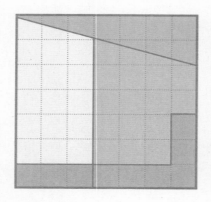 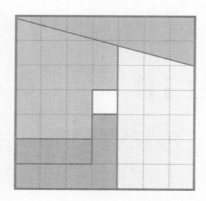

[A53]　2圈

小圆滚2圈的距离等于大圆的周长。所以答案为2圈。里圈和外圈答案一样，因为距离没有变。

[A54]

112

多多家的小鸭子

Q56 多多家有两只刚出生不久的小鸭子，为了防止鸭子乱跑，多多就用8根木条分别围成两个互不相连的正方形。这时，好心的邻居又送来了一只小鸭子，可是多多家没有多余的木条了，她该怎样用现有的木条围成3个正方形，让3只鸭子分别住进3个正方形里呢?

问号处该填什么

Q57 下面这道题目经常出现在公务员的考试中。请仔细观察，想想问号处该填什么?

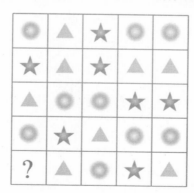

● 答案见115页。

[A55]

5 小块图形中，最大的两块对换了一下位置之后，被那条对角线切开的每个小正方形都变得高比宽大了一点点。这意味着，这个大正方形不再是规范的正方形。它的高增加了，从而使得面积增加，所增加的面积恰好等于那个方洞的面积。

有趣的棋盘

下图是一个棋盘，棋盘上放有6颗棋子，请你再在棋盘上放8颗棋子，使得：

①每条横线上和直线上都有3颗棋子。

②每个9格小方形的边上都有3颗棋子。

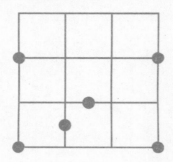

魔方的颜色

有一个魔方（如图），所有的面都是蓝色。请问：有几个小立方体一面是蓝色？有几个小立方体两面是蓝色？有几个小立方体三面是蓝色？有几个小立方体四面是蓝色？有几个立方体所有的面都没有蓝色。

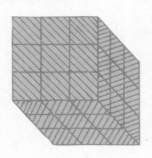

➲ 答案见116页。

[A56] 把其中的4根木条都截成原来木条长度的一半，然后放在平面上拼起来。如图：

陌生的邻居

Q60 在一个菱形小区的中央住着 4 户人家，他们的草坪分别在他们房屋正对的菱形小区的 4 个角落（如图所示，中间隔着邻居的房屋）。但他们都不愿意和邻居打招呼，想不穿过别人家的区域就能到自己家的草坪去。

假如你是这个小区的物业管理员，你该如何让这 4 条路彼此不相交就能到达他们自家的草坪？

....

[A57] 五角星

这张图里的 3 种图案，由里到外以"圆→五角星→三角形"的规律形成一个漩涡状，排列的顺序如图所示：

[A58]

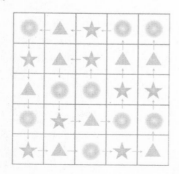

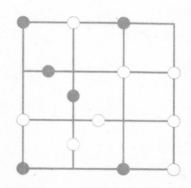

找不同

61 找出下面图形中与众不同的那一个。

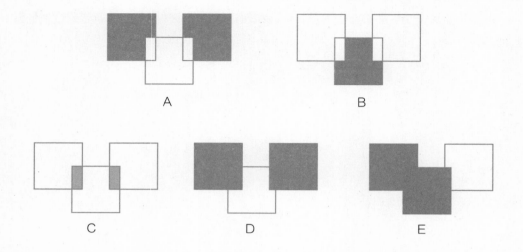

掌心里的洞

62 把一张普通的书写纸卷成筒状，贴着左眼，将右手掌挡住右眼的前方，距离眼睛约半个纸筒远，然后两只眼睛都睁开。你会发现什么？

....

[A59] 6个小立方体一面是蓝色；12个小立方体两面是蓝色；8个小立方体三面是蓝色；没有小立方体四面是蓝色；1个立方体所有的面都没有蓝色

[A60]

不湿杯底

 有一个玻璃杯，杯子底部的里面是干的，现在把杯子放进装满水的盆子里，但要使杯子的底部仍是干的，你能做到吗？

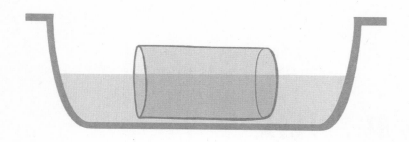

[A61] E。只有这个选项左右颜色不对称

[A62] 你会发现好像右手的掌心有一个洞

这是一个错觉。左眼只是看到了纸筒的里面，而右眼却看到一只平平的手掌。而每只眼睛所接受的影像，都将在大脑里聚合成一个立体影像，正像你所看到的那样。

117

一步之差

Q64 在课堂上，老师出了这样一道题目：怎样移动一根火柴棒，就可以让等式成立（ = 可以是 ≈ ）。

甲移动了一根火柴，只差一点就完全相等了。而乙同样是移动了甲刚才动过的那根火柴，竟使答案更接近了。你知道他们是怎么移动火柴的吗？

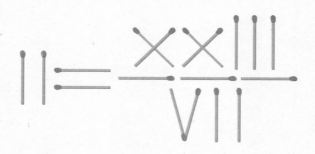

最少转弯几次

Q65 5个排成一条直线的圆环，下面是在转弯7次的情况下穿过5个圆环中心。你能用3次转弯穿过这5个圆环中心吗？

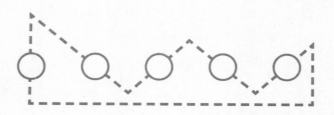

[A63]

把杯子倒着放进水里，这时由于杯子里面充满了空气，由于空气压力，水就不会流进去，杯子底部也就不会被弄湿了。

变三角形

10 枚硬币排成了倒三角形，如果要让这个三角形朝上，只允许移动 3 枚硬币，该怎么移?

三个数

有三个不是 0 的数的乘积与它们之和都是一样的。请问: 这三个数是什么?

$$X \times Y \times Z = \square$$

$$X + Y + Z = \square$$

[A64]

第一种方法是: 3=22/7，但把那根火柴放到上面，就成了 π =22/7，显然更接近正确答案。

[A65] 如图:

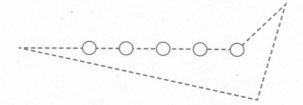

最后的弹孔

某地的著名富翁被枪杀了。他是站在房子的窗边时，被突然从窗外射来的子弹击中的。也许是凶手的枪法不准，打了4枪，最后一枪才命中。窗户的玻璃上留下4个弹孔。你知道最后一枪的弹孔是哪个吗？

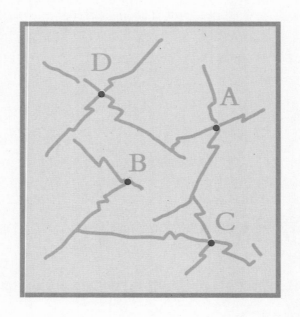

[A66]

[A67] 1，2，3

120

自制扇子

小红有两把形状类似于银杏叶的扇子，但她觉得风不够大，想把它们剪一刀拼成一个正方形。你能帮帮她吗？

有趣的类比

如图，九格图中分别有 1 ~ 9 九个数字，如果图 1 阴影部分代表 4，那么，图 2 阴影部分代表几？

....

[A68] 最后一枪的弹孔是 B

后一枪的裂缝会被前一枪的裂缝挡住而不继续延伸下去，观察可知，D 是第一枪，A 是第二枪，C 是第三枪，B 是最后一枪。

冬天还是夏天

下面这两幅图，你能区别哪一幅是夏天，哪一幅是冬天吗？

复杂的碑文符号

考古人员在某地进行发掘工作时，使一批奇异的古代遗迹重见天日。他们发现，很多纪念碑的碑文上反复出现下面这个由圆和三角形组成的符号。

这个图可以一笔画出，任何线条都不重复画两次以上。不过，如果采取那种更为一般的，允许同一线条可以随意重复画几次的画法，只是要求用尽可能少的转折一笔画出这个图形，它无疑会成为一道很好的趣味题。你知道怎么画吗？

[A69]

[A70] 8

图中的方格被编以 1 到 9 之间的号，从左上角开始，先从左到右，再从右到左，最后又从左到右。

填色游戏

 将这些圆形分别填上红、黄、蓝和绿色，使得：

①每种颜色的圆形至少 3 个。

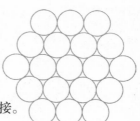

②每个绿色圆形都正好和 3 个红色圆形相接。

③每个蓝色圆形都正好和 2 个黄色圆形相接。

④每个黄色圆形都至少各有一处分别和红色、绿色和蓝色圆形相接。

魔术阶梯

 这是一个魔术阶梯。请在每一阶上各放一张黑色和蓝色的卡片，使每一阶卡片的数字之和为 5 个连续的数字，即：9，10，11，12，13。

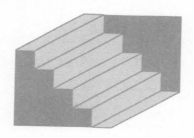

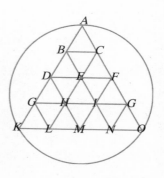

....

[A71] 左图是夏天画的

因为夏天 11 点钟时太阳处于屋顶上方，照射进屋里的光线面积小。右图是冬天画的。

[A72]

首先，在图中以 A ~ O 依次标出 15 个点，如图。将该图分为三部分：△ ADF+ 弧 AK，△ DKM+ 弧 KO，△ FMO+ 弧 OA。这三部分是一个重复过程。

第一步：画 △ EHI+ △ ADF+ 弧 AK，从 A 点出发，A–B–C–E–H–I–E–B–D–E–F–C–A+ 弧 AK；

第二步：画△ DKM+ 弧 KO，从 K 点出发，K–L–G–H–L–M–H–D–G–K+ 弧 KO；

第三步：画△ FMO+ 弧 OA，从 O 点出发，O–G–N–I–G–F–I–M–N–O+ 弧 OA。

迷路的兔子

 兔子不小心掉进了很多格子的盒子里。它好想出去走走，可又怕被主人发现，而且它一次只能"上下"或"左右"移动一格，不能跳动。

请你帮它想想要如何走，才能走完所有的格子回到原点，而且不被主人发现呢？

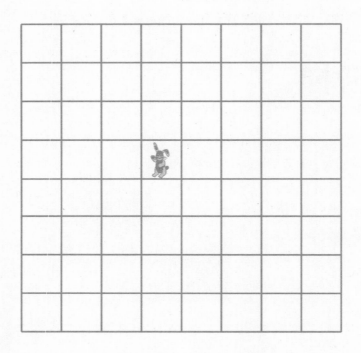

[A73]

[A74]

如图：要把卡片中的 6 和 9 倒过来放。

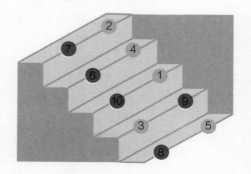

124

互不相通的房间

Q76 小明有两个兄弟，他们兄弟三人分别住在 3 个互不相通的房间，每个房间门都配有两把钥匙。

请问：如何安排房间的钥匙才能保证小明兄弟三人随时都能进入每个房间？

无价之宝

Q77 一位淘金的老财主不仅淘到了大量的金子，而且淘到了许多钻石。为了向别人炫耀自己的富有，他决定用自己淘到的钻石镶一个世界上绝无仅有的无价之宝。他决定，第一天，从保险柜里取出一颗钻石；第二天，取出 6 颗钻石，镶在第一天取出的那颗钻石周围；第三天，在其（如图）外围再镶一圈钻石，变成了两圈。每过一天，就多了圈。这样做 7 天以后，镶成了一个巨大的钻石群。请问，这块无价之宝一共有少颗钻石？

[A75]

如图：这只是正确答案的一种，你可以发挥想象力帮兔子设计路线。

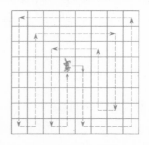

爱说假话的兔子

Q78 有 4 只兔子，年龄从 1 ~ 4 岁各不相同。它们中有两只说话了，无论谁的话，如果说的是比它大的话都是假话，说的是比它小的话都是真话。

兔子甲说：兔子乙 3 岁。

兔子丙说：兔子甲不是 1 岁。

你能知道这 4 只兔子分别是几岁吗？

摸黑装信

Q79 当当有 4 位好朋友，他们之间经常用书信联系，感情非常好。有一天晚上，当当分别给 4 位朋友写信。他刚写好信准备分装的时候，突然停电了。因为要赶着明天寄出去，当当摸黑把信纸装进信封里。妈妈说他这样摸黑装信会出错，当当说最多只有一封信装错。

你觉得当当说得正确吗？

[A76]

把 3 个房间命名为甲、乙、丙，小明兄弟三人分别拿一个房间的钥匙，再把剩下的钥匙这样安排：甲房内挂乙房的钥匙，乙房内挂丙房的钥匙，丙房内挂甲房的钥匙。这样，无论谁先到家，都能凭着自己掌握的一把钥匙进入 3 个房间。

[A77] 127 颗

开始时只有 1 颗，第二天增加了 6 颗，第三天又增加了 12 颗，第四天又增加了 18 颗……计算七天的总数，公式为：1 + 6 + 12 + 18 + 24 + 30 + 36=127 颗。

暗藏陷阱的宝藏图

Q80 从下面的方格里，找出其中隐藏的五处宝藏。方格下方绘有一些宝藏图案。在这些图案里，宝藏 ❤◆❤ 有一处，占据了3个方格；宝藏 ❤❤ 有两处，各占据了2格；宝藏 ⭐ 有两处，各占据1个单元格。在方格右边和上边各有一排数字，表示在每行及每列中隐藏的宝藏所占的方格数。

除此之外，每个组合的宝藏图，一定是水平或直立的；而且一处宝藏与另外一处宝藏之间绝对不会彼此贴近，或位于彼此的对角位置。在方格中已绘有宝藏二的半个图，作为解题指南，这半个图如图中所示。

另外还需要注意的是，在这些方格中，每格代表的若不是宝藏，就必定是陷阱。你能找到这些宝藏吗？

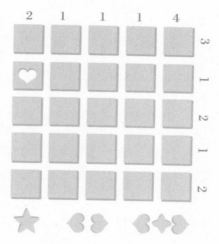

[A78] 甲2岁，乙4岁，丙3岁，丁1岁

如果丙兔子说的话是假话，丙就比甲年龄小，而且甲就是1岁，这是不可能的。所以丙兔子的发言是真实的，甲不是1岁，丙比甲年龄要大。
如果甲的发言是真的话，就是乙3岁，甲比乙年龄大，即甲4岁，这与上面的分析是矛盾的。
所以，甲的话是假的，乙也不是3岁，甲比乙年龄要小。
根据以上分析，乙是4岁，丙是3岁，甲是2岁，剩下的丁就是1岁。

[A79]

不正确。假设A、B、C、D四封书信分别对应A、B、C、D四个信封，如果A书信装进了B信封，那么A信封对应的必然不是A书信，也是错的，所以如果出错的话，至少有2封信出错。

轮胎如何换

Q81 有一个做长途运输的司机要出发了。他用来运输的车是三轮车，轮胎的寿命是2万千米，现在他要进行5万千米的长途运输，计划用8个轮胎就完成运输任务，怎样才能做到呢？

餐厅聚会

Q82 有7个年轻人，他们是好朋友，每周都要到同一个餐厅吃饭。但是他们去餐厅的次数不同。大力士每天必去，沙沙隔一天去一次，米米每隔两天去一次，玛瑞每隔三天去一次，好好每隔四天才去一次，科特每隔五天才去一次，次数最少的是玛奇，每隔六天才去一次。

昨天是2月29日，他们愉快地在餐厅碰面了，他们有说有笑，憧憬着下一次碰面时的情景。请问：他们下一次相聚餐厅会是在什么时候？

[A80]

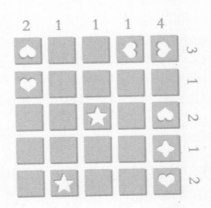

环球飞行

Q83 某航空公司有一个环球飞行计划，该计划有下列条件：每架飞机只有一个油箱，飞机之间可以相互加油（没有加油机）；一箱油可供一架飞机绕地球飞半圈。为使一架飞机能够绕地球一圈，至少需要出动飞机几架几次（包括绕地球一周的那架在内）？

注意：所有飞机从同一机场起飞，而且必须安全返回机场，不允许中途降落，中间没有飞机场。加油时间忽略不计。

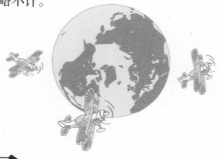

坚强的儿子

Q84 从前，当古罗马城陷入纷乱的时候，有位母亲对想趁着乱世称雄的儿子这么说："如果你正直的话，就会被大众所背叛；但如果你不正直，就会被神遗弃。反正都没有好下场，你就别强出头了。"

这位坚强的儿子不但不放弃，还利用这番话中的盲点说服了他母亲。

你知道他是如何反驳的吗？

....

[A81]

如果给8个轮胎分别编为1~8号，把8个轮胎分别记为1~8号。第1、2万千米用1、2、3号轮胎，第3万千米用4、5、6号轮胎，第4万千米用4、5、7号轮胎，第5万千米用6、7、8号轮胎。

[A82] 第二年的 4 月 24 日

7个年轻人要隔许多天才能在餐厅里相聚一次，这个天数加1需能被1~7之间的所有自然数整除。

1~7的最小公倍数是420，也就是说，他们每隔419天才能重新聚于餐厅。

因为上一次聚会是在2月29日，可知这一年是闰年。那么第二年2月份就只有28天一种可能。

由此可推，他们下一次相聚是在第二年的4月24日。

兔子的食物在哪里

Q85 在一个表格里有几只兔子，每只兔子都有一棵专属于自己的胡萝卜，这棵胡萝卜有可能紧邻在兔子的四周，但不可能出现在兔子的对角线相邻位置。同时，两棵胡萝卜也不能相邻，也就是说，它们彼此之间不能"接触"。位于每行和每列的胡萝卜数目已经标示在表格旁了，到底兔子们的食物在哪里？

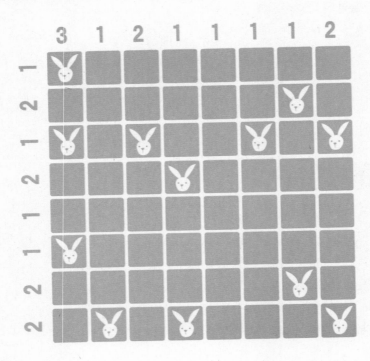

[A83] 3架飞机飞5次

假设3架飞机分别为A、B、C。3架（A、B、C）同时起飞，飞行至1/8处，其中一架（A）分油后，安全返航；剩余两架（B、C）飞行到1/4处时，其中一架（B）分油后，安全返航；A降落后加完油，在B返回后马上起飞，逆向接应C；同样B降落后加完油，也立即逆向起飞，接应A、C；两架（A、C）在逆向1/4处相遇，分油后，同飞行。3架（A、B、C）飞机在逆向1/8处相遇，分油后继续飞行，这样就可以完成任务了。所以，3架飞机飞5次就可以完成任务。

[A84]

儿子说："如果我正直的话，就不会被神遗弃；如果我不正直，就不会被大众所背叛。所以无论如何，我都不会被背叛的。"

神秘岛上的规矩

Q86 有一位商人到一个盛产美女的神秘岛上想要娶一位妻子。岛上的居民不分男女，可分为：永远说真话的君子；永远撒谎的小人；有时讲真话、有时撒谎的凡夫。

商人从甲、乙、丙3人中选一个做妻子。这3个美女中有一个是君子，一个是小人，一个是凡夫，而凡夫是由狐狸变的美女。

按照岛上的规定，君子是第一等级，凡夫是第二等级，小人是第三等级。岛上的长老允许商人从3位美女中任选一位，并向她提一个问题，而这个问题只能用"是"或者"不是"来回答。

请问：商人应该问一个什么问题才能保证不会娶到由狐狸变的凡夫呢？

蚂蚁过地下通道

Q87 一只蚂蚁在地下通道里爬行，对面又来了一只。由于通道非常狭窄，只能单只通过。幸好，通道一侧有个凹处，刚好能容得下一只蚂蚁，可不巧的是，里面有一个小沙粒，把它移出来后又把通道堵住了，还是无法通行。两只蚂蚁应该怎么做才能都顺利通过呢？

[A85]

珠宝公司的刁钻奖励

Q88 瑞芳在一家珠宝公司工作，由于她工作积极，所以公司决定奖励给她一条金链。这条金链由 7 个环组成，但是公司规定，每周她只能领取一环，而且切割费用由她自己负责。

这让瑞芳感到为难，因为每切一个金环，就需要付一次昂贵的费用，再焊接起来还要一笔费用，想想真不划算。聪明的瑞芳想了一会儿之后，发现了一个不错的方法，她不必将金链分开成 7 个了，只需要从中取出一个金环，就可以每周都领一个金环，她是怎么做到的呢？

10 枚硬币

Q89 有 10 枚硬币，甲、乙两人轮流从中取走 1 枚、2 枚或者 4 枚硬币，谁取最后一枚硬币就算输。请问：该怎么做才能获得胜利？

....

[A86]

商人随便问其中一位美女，比如问甲："你说乙比丙的等级低吗？"如果甲回答"是"，那么应该选乙做妻子。如果甲是君子，则乙比丙低，因此乙是小人，丙是凡夫，所以乙保证不是狐狸；如果甲是小人，则乙的等级比丙高，这就意味着乙是君子，丙是凡夫，所以乙一定不是狐狸；如果甲是凡夫，那么她自己就是狐狸，所以乙肯定就不是狐狸。因此，不管什么情况，选乙都不会娶到狐狸。如果甲回答的是"不是"，那么商人就可以挑选丙做妻子。推理方法同上。

[A87]

由一只蚂蚁把沙粒拉出凹处，放在通道里；然后另一只蚂蚁进入凹处；再由那只蚂蚁推着沙粒过凹处后暂停；然后另一只蚂蚁爬出凹处，沿通道爬走；最后那只蚂蚁将沙粒拖回凹处，自己走开。

死囚

Q90 一位法官判处罪犯为死罪，这个人听到消息后非常恐惧。法官下令：从明天开始，到第七天傍晚，这段时间内必须把这个死囚拖到刑场绞死。但如果在处决他的那一天早晨，死囚知道了自己要被处以绞刑，那么这一天就不能处死他。死囚听到这个规定后非常高兴，认为自己不可能被处死了。你觉得可能吗？

怀特先生的难题

Q91 轮盘赌局到了最后决定胜负的关键时刻。现在占第一位的是木材商怀特先生，他非常幸运地赢了700个金币。占第二位的莎文小姐她稍稍落后，赢了500个金币。其余的人都已经输了很多，所以这最后一局就只剩下怀特先生和莎文小姐来一决胜负了。怀特先生还在犹豫着，要将手上筹码的一部分押在"奇数"还是"偶数"上。赢的话他的赌金就会变成现在的两倍。另一边莎文小姐已经把所有的筹码都押在了"3的倍数"上，赢的话赌金就会变成现在的三倍，如果幸运，她就可以反败为胜了。

想一想，怀特先生到底应该怎么下注才好呢？

....

[A88]

取出第三个金环，形成1个、2个、4个三组。第一周：领1个；第二周：领2个，还回1个；第三周：再领1个；第四周：领4个，还回1个和2个；第五周：再领1个；第六周：领2个，还回1个；第七周：领1个。

[A89]

这是一个后发制胜的游戏。根据谁拿完谁输的规则，取胜的秘诀就是想办法留给对方4枚硬币。可以将题目改为"谁刚好取到第9个，谁赢"，这样可以看作是3+3+3或6+3，无论甲取多少，乙就取3（6）减去甲取的数量，乙必赢。

门铃逻辑

Q92 某户人家的门铃声整天在响，令其苦不堪言。于是，屋主请一位朋友想办法解围。这位朋友帮他在大门前设计了一排六个按钮，其中只有一个是通门铃的。来访者只要摁错了一个按钮，哪怕是和正确的同时摁，整个电铃系统将立即停止工作。

在大门的按钮旁边，贴有一张告示，上面写着："A 在 B 的左边；B 是 C 右边的第三个；C 在 D 的右边；D 紧靠着 E；E 和 A 中间隔一个按钮。请摁上面没有提到的那个按钮。"

这六个按钮中，通门铃的按钮处于什么位置？

不可靠的预测机

Q93 人工智能专家发明了一个预测机，任何一个人都可以问它：一小时之中，会不会发生某件事？如果预测机预知这件事会发生，就亮绿灯，表示"会"；如果亮红灯，就表示"不会"。这个机器一经推出就受到很多人的欢迎，特别是警察局的警员，因为这样可以减轻他们的工作任务。但只有局长不高兴，因为他知道预测机根本就不可靠，他的担心用一句话就可以验证。你知道局长想到了一句什么话吗？

[A90] 不可能。死囚会被处死

因为执行绞刑的日期可以放在规定日期内的任何一天。如果死囚提出"今天不能执行绞刑，因为我已经知道了今天要被处以绞刑，按照法官的命令，今天就不能执行绞刑了"的要求时，行刑者可以这样回答："要是这样的话，说明你还没有想到今天要执行绞刑，按照规定，你没有想到今天被处死，所以今天能够对你执行绞刑。"

[A91]

在这种场合，手里有较多金币的人便是赢家，怀特先生跟莎文小姐一样押 500 个金币在"3 的倍数"上就可以了。

基本上只要跟莎文小姐用同样的方法下注就可以了。如果莎文小姐赢了，怀特先生也会得到同样的报酬，他们的名次不会受到影响。要是莎文小姐输了的话，就更不会影响到名次了。

事实上，怀特先生只要押 401 个以上的金币，赢的话金币就会在 1 502 个以上，仍然是第一名。

篮球比赛

 某县的五所中学进行篮球比赛，每所中学互赛一场进行循环赛。比赛的结果如下：

一中：2 胜 2 败

二中：0 胜 4 败

三中：1 胜 3 败

四中：4 胜 0 败

请问：五中的成绩如何？

你要哪一个钟

 有两个钟，一个每天只有一个时刻准确，另一个一天只慢一分，你要哪一个？

....

[A92]

通门铃的按钮是从左边数第五个。如果 F 表示该按钮，则 6 个按钮自左至右的位置依次是 D、E、C、A、F、B。

[A93] 局长说："预测机下一个预测结果会亮红灯"

如果预测机亮红灯表示"不会"，那么预测机就预测错了，因为事实上，它已经亮起了红灯。如果它亮绿灯说"会"，这也错了，因为实际上亮的是绿灯，而不是红灯。这样，预测机就预测不准确了。

皇妃与侍女

Q96 古代有一个皇帝，他有 20 个皇妃，每位皇妃身边都有一个坏侍女。虽然每一个皇妃都知道其他皇妃的身边的侍女是坏人，但由于她们之间关系不融洽，因此她们都不知道自己的侍女是否是坏人。

皇帝知道此事后，把 20 个皇妃召集在一起，并告诉她们，在跟随她们的侍女中至少有一个坏人，并要求她们如果知道了自己的侍女是坏人就必须立刻杀了她；如果知道了又不杀的话，那皇妃的脑袋就保不住了。期限为 20 天。

为此，皇帝办了一份早报，如果哪位侍女被杀了就会刊登在早报上，可 19 天都平静地过去了，在第 20 天早晨，仍然没有哪一位皇妃杀自己侍女的消息刊登。请问：接下去的情况将会怎么样呢？

....

[A94] 3 胜 1 败

全部共有 10 场比赛，各校都必须跟其他四所学校对打一场，4×5=20（场），但是每场有两校出赛，所以 20÷2=10（场）。

也就是说，总共应该会有 10 胜。一至四中合计共有 7 胜，那么剩下的 3 胜便是五中的了，并可以马上算出五中有一败。

[A95]

也许你会选择一天只慢一分的那个。那我们就来看看：一天慢一分的那个钟两年内要走慢 12 小时（即 720 分钟）之后才能走回最初核准的时间，因此它在两年内只准确一次。现在看看你要哪一个吧！

[A96] 这 20 位皇妃都立刻杀了自己的侍女

假设皇妃只有 A、B 两个人，A 皇妃肯定会想：B 肯定知道我的侍女是好是坏。如果我的侍女是好人，她肯定会杀了她的侍女，结果就会刊登在第二天的报纸上。如果早上的报纸没有刊登这条消息，那么我就在第二天杀了我的侍女……以此类推。到第 20 天，报纸没有刊登消息，那么所有的皇妃就都杀了自己的侍女。

Part 3
探案游戏这样玩，挑战你的高智商

谁是盗窃者

Q₁ 一天，某超市的监控器坏了，但仍在正常营业，店长在巡视的时候发现一盏台灯被偷了。警方经过缜密的调查，把甲、乙和丙作为怀疑对象。3个人在不同的时间分别受到警方的传讯，于是各作了一条供词。具体如下：

①甲没有偷东西。

②乙说的是真话。

③丙在撒谎。

供词①是最先讲的；供词②③不一定是按讲话时间的先后顺序排列的，但它们都是针对前面所做的供词。

目前只知道，他们每个人作的一条供词，都是针对另一个怀疑对象，而且盗窃者就是他们其中的一个。

请问：这3个人当中，谁是盗窃者？

①甲没有偷东西

②乙说的是真话

③丙在撒谎

不打自招的凶手

Q₂ 侦探小说作家 A 先生，有一晚在家里写小说时，被人用棒球的球棒从背后击毙。书桌上的一盏台灯亮着，窗户紧闭。

报案的是住在对面公寓里的张某。他向赶到现场的警方所做的说明是这样的："当我从房间向外看时，无意间发现 A 先生书房的窗口有个影子高举着木棍，我感觉不妙，所以赶紧给你们打电话。"

但聪明的刑警听了以后却说："你说谎！你就是凶手！"说罢便将张某逮捕归案，张某说谎的证据在哪里？

[A1] 乙是盗窃者

根据他们提供的证词，可得出下面两种可能：

第一种情况：

①乙说：甲没有偷东西。 ②丙说：乙说的是真话。 ③甲说：丙在撒谎。

第二种情况：

①丙说：甲没有偷东西。 ②乙说：丙在撒谎。 ③甲说：乙说的是真话。

对于第一种情况而言，②支持①；而③否定②，进而否定①。所以，供词就变成了下面的意思：

①乙说：甲是无辜的。 ②丙说：甲是无辜的。 ③甲说：甲有罪。

如果"甲有罪"是真话，那么甲说了真话而且是有罪的，这是不可能的。如果"甲是无辜的"是真话，那么乙和丙说了真话，而且其中有一人是有罪的，这也是不可能的。显然，第一种情况是不可能的。

对于第二种情况而言，②否定①，③肯定②，进而③否定①。所以，供词就变成了下面的意思：

①丙说：甲是无辜的。②甲说：甲有罪。③乙说：甲有罪。

如果"甲有罪"是真话，那么甲说了真话而且是有罪的，这是不可能的。如果"甲是无辜的"是真话，那么甲和乙都撒了谎。由于撒谎的是甲和乙，所以他们俩人中有一人是有罪的，由于甲是无辜的（尽管他撒了谎），所以乙必定是凶手。

经验丰富的警长

 在森林公园的深处发现一辆高级的敞篷车，车上有少量树叶，一个老板模样的人死在车里。警方封锁了现场。

"发现了什么线索？"警长问。

"法医估计已死亡两天。没有发现他杀的迹象，死者手边有氰化钾小瓶，所以初步认定是自杀。"

"有没有发现第三者的脚印？"

"没有，地面上落满了树叶，看不到什么脚印。"

"请大家再仔细搜查现场，排除自杀的主观印象。这不是自杀，而是他杀后移尸到这里。估计罪犯离开不到一个小时，他一定会留下线索的。"

大家又投入仔细搜查，果然发现了许多线索，追踪之下，当天便抓获了杀人犯。

请问：警长为什么认定不是自杀而且罪犯没有走远呢？

[A2]

影子不可能在窗口。张某说，"窗口有高举木棍的影子"，这就是谎言。因为桌上台灯的位置是在被害人与窗口之间，不可能把站在被害人背后的凶手的影子照在窗子上。

伪装的假象

 一个初秋的早晨，在森林里一棵大树下的一顶帐篷里，有人发现了失踪的老地质队员的尸体，他好像是在这儿被人杀死的。

然而，公安人员得知他是个老地质队员后，只看了一眼现场，就马上下了结论：

"罪犯是在其他地方作的案，然后又将尸体转移到这里来，伪装成在帐篷里被杀的假象。"

此结论的理由何在？

[A3]

从落叶的情况分析的，如果车子在森林中停放两天，车上一定会堆满落叶；如果车上落叶很少或基本没有，证明车子放到这里时间不长。而罪犯只能步行离开，在大森林里，既容易留下痕迹，又不容易走远。

一山更比一山高

Q5 羽根是一个职业小偷。一天，他溜到地铁上去作案，先偷了一位时髦小姐的钱包，等她下车后，羽根又接连偷了一位西装革履的男子和一位白发苍苍的老太太的钱包。他兴高采烈地下了车，躲在角落里清点了一下，发现3个钱包里总共不过6 000多元，接着他又惊叫起来，原来与这3个钱包放在一起的他自己的钱包也不翼而飞了，那里面装着8 000多元呢！他口袋里还有一张纸条，上面写着："让你这该死的小偷尝尝我的厉害，看看你偷到谁头上来了！"

猜猜看，那3个人中，究竟是谁偷了羽根的钱包呢？

那3个人中，究竟是谁偷了羽根的钱包呢？

[A4]

公安人员一看帐篷支在一棵大树下，就断定他是在别的地方被杀的。因被害人是有经验的老地质队员，他不可能在野外将帐篷支在大树底下，因如果天气骤变，会有遭雷击的危险。

让窃贼自首

Q6 著名化学家威廉同时也是一个有名的收藏家,他收藏了很多世界名画。一天,威廉回家后发现自己的寓所被小偷光顾了,其中一幅名画丢失了。威廉虽然很心疼,但是他没有失去理智,而是冷静地仔细观察了现场。他发现,自己放在实验台上的一瓶高档名酒被喝光了。

看着空酒瓶,威廉立刻想到了一个让小偷自己还回名画的好方法。果然,不久,小偷就投案自首了。

你知道威廉想的是什么办法吗?

[A5] 时髦小姐

因为如果是另两个人的话,他们应该连那位小姐的钱包一块偷走才对,就算他们不全偷,他们也不知究竟哪个钱包是羽根的。

找破绽

Q₇ 由于前一夜下大雪，这天早晨的气温降到零下 5 度。

刑警就一桩凶杀案在询问嫌疑犯不在场的证明："昨晚 11 点左右你在哪里？"

这位寡居的女性回答说："大约 9 点半，我的旧电视发生短路，然后停电了。因为我对电器一窍不通，自己无法修理，所以只好睡了。今天在你们来访前半个小时，我打电话给电器行，他们却告诉我，只要把大门口的安全开关打开便会有电。没想到竟会这么简单！"

但刑警只扫了一眼旁边鱼缸里游动的热带鱼，便知道了她话里的破绽。

请问，破绽在哪里？

[A6]

威廉以一个化学家的身份写了一份声明，登在报上。声明中说自己是个化学家，失窃那天晚上，放在桌子上的那瓶酒是有毒的液体，谁喝了必定会中毒身亡。他要求爱好那幅画的朋友，尽快赶到自己家来服解毒药，否则就会有生命危险。窃贼看了声明后信以为真，于是便带着那幅画自首了。

银牙签断案

 古时候，有一个叫陈达的卖布小贩和一个叫赵富贵的客栈老板。一天，他们扯拽着来到县衙告状。

陈达告赵富贵前天拿走自己两匹细布，他承诺今天付账，但现在却矢口否认，拒不付款。赵富贵则反唇相驳，告陈达有意讹诈。

待问过两人详情后，黄知县已明白几分，况且他早已听闻赵富贵的品行，就将计就计，试探一番。黄知县走下公堂，和声和气地与赵富贵攀谈起来，言语间甚是投机。这时，黄知县见赵富贵胸前露出一副银牙签，便说自己很早就想打一副一样的牙签，却因一直找不到样子而作罢了。他提出想要借赵老板的银牙签仿造一副的要求，赵富贵本是个势利之人，于是忙不迭地答应了。结果，黄知县就靠这一副银牙签，便破了此案。

你知道黄知县是怎样破案的吗？

赵富贵前天拿走两匹细布，承诺今天付账，但现在却矢口否认，拒不付款。

陈达讹诈！

[A7]

因为鱼缸里的热带鱼还在游动。在寒冷的夜里停电，鱼缸里的水会变得冰冷，热带鱼是必死无疑的。

别墅惨案

Q9 一天上午，杰克和约翰去看望住在郊区别墅的金姆森太太。平常他们进去都要按门铃，今天的门却是虚掩着的。杰克和约翰推开门进去，在一楼餐厅里发现了金姆森太太的尸体，看上去，她已经遇害十多天了。

她是在用餐的时候遭到突然袭击的，一柄尖刀贯穿胸口，瞬间夺去了她的生命。凶手随后洗劫了整幢别墅。

杰克和约翰伤感地坐在别墅前面的台阶上，送来的报纸堆满了整级台阶，而订阅它的人永远不会再读报了。别墅的台阶下，还放着两瓶早已过期的牛奶，也是金姆森太太定的。聪明的杰克看到以后，花了5秒的时间就知道了凶手是谁。你知道是谁吗？

[A8]

黄知县密遣一个差役，带上银牙签，扮成伙计模样，去赵富贵家中对他的家人说："赵老板将前两天进的那两匹布转卖他人了，因故不能亲自来，派我代为取去，恐你生疑，以持银牙签为凭。"赵富贵的家人细视银牙签后，确认是赵富贵随身之物，深信不疑，便将陈达的布匹交给了差役。这样，证据确凿，赵富贵只好认罪。

一模一样

Q10 某地发生了一桩凶杀案。警探赶到现场后，根据目击者提供的线索，在一家饭店里发现了疑犯。可这个小伙子却说自己一直在这儿，吃饭后，就在这里看电视，根本就没有离开过饭店。

饭店的经理和周围的人也证实了他的说法。可目击者却一致确认，从相貌和衣着上看，这个小伙子就是那个作案者。后来，警探化验了疑犯留下的指纹，发现指纹和这个小伙子的明显不符。

警探忽然明白了，于是，他赶紧和助手去查了小伙子的户口本，发现果然如此。根据这个线索，很顺利就把凶手抓到了，并且证明确实不是这个小伙子。

请问：警探是如何找到凶手的？

[A9] 凶手是送牛奶的人

因为只有知道金姆森太太已经遇害，他才不再到这里送牛奶，而送报纸的人显然不知道这一点，每天仍然准时把报纸送来。

送牛奶的人作案后，显然没有想到这桩凶案在十多天以后才被人发现，他停止送奶的行为恰恰暴露了自己的罪行。

判断凶杀现场

 一位评论家的仆人早上打扫卫生时，发现他的主人胸部中了两枪，倒地而亡。亨利探长来到现场了解情况，鉴定人员告诉他，死亡时间确定为昨晚 22:00 左右。

正在鉴定人员答话时，挂在书房墙上的鸽子报时钟 "咕咕咕" 地响了，挂钟里的鸽子从小窗中探出头报了 10 点。

鉴定人员到达现场时录音机正开着，在录音。磁带所录的是昨晚 22:10 分结束的巨人队和步行者队决赛的比赛实况。

鉴定人员按下了录音机的放音键，里面传出了比赛实况的转播声。亨利探长一边看着手表一边听着，然后他肯定地说这里是被伪装过的。

请问：亨利探长是根据什么来判断的？

[A10]

警探想，这个小伙子可能有一个孪生兄弟，找户口本一看，果然如此。因此，他们很快就抓获了凶手。

酒店挟持案

 福特在 A 酒店被歹徒挟持，歹徒逼迫他给家里报平安。福特的电话内容是这样的：

"亲爱的罗莎，您好吗？我是福特，昨晚不舒服，没能陪您去夜总会，现在好多了，多亏 A 酒店经理送的特效药。亲爱的，不要和我这样的'坏人'生气，我们会永远在一起的，请您原谅我的失约，我的病不是很快就好了吗？今晚赶到您家时再向您道歉，可别生我的气呀！好吧，再见！"

可是 5 分钟后，警察突然出现在他们面前，歹徒不得不举手投降。你知道福特是怎么报案的吗？

[A11]

录音机是评论家被害后才被放入书房的。因为如果它一直在书房，就理应录上了昨晚报时钟报 22 点的鸽子叫声。

音乐会上的阴谋

Q13 直到音乐会开幕的当晚，格雷对他的两个得意门生巴蒂和埃利谁将首次登台独奏小提琴，仍然犹豫不决。开幕前15分钟，他让巴蒂准备出场演奏，然后将这个决定告知埃利，埃利感到很遗憾。

10分钟之后，格雷去叫巴蒂准备出场，却发现巴蒂倒毙在小小的化妆间里，头部中弹，血流满地。格雷慌忙敲开舞台侧门，将这一惨案报告尼克探长。

尼克探长见开场时间已到，就极力劝格雷先别声张，继续演出，然后他走进埃利的化妆室。埃利听到最后决定让他登台时，没有询问情由，便拉拉领带，拿起琴和弓，随格雷登台去了。

当听众如痴如醉地沉浸在优美的乐曲中时，尼克探长却拿起电话通知警察前来逮捕这位初露头角的小提琴手。

你知道尼克探长为什么要逮捕埃利吗？

[A12]

福特在打电话时做了点手脚。在通话时，他一讲到无关紧要的话，就用手掌心捂紧话筒，不让对方听到，而讲到关键的话时，就松开手。

这样，家人就收到了这么一段"间歇式"的情报电话："我是福特……现在……A酒店……和坏人……在一起……请您……快……赶到……"

失窃的金币

Q14　汉尼平时省吃俭用，偷偷积攒了 54 个金币。为了防止小偷，汉尼把金币放进了一个小坛子里，然后埋在了自家的后院。然而，这一切都被邻居斯特罗看到了。夜里，斯特罗偷偷溜进汉尼的后院，把那坛金币偷走了。

过了半个月，汉尼去看他的金币，发现坛子和金币都不见了。汉尼最终把嫌疑锁定在自己的邻居斯特罗身上，只有他最可能看到埋金币的事情。

一天，他装出没事的样子到斯特罗的家里跟他闲聊："唉，人老了，账也不会算了，你说 54 个金币加上 45 个金币共是多少？"

"99 个金币。"

"这么说，再凑一个金币，就满 100 个！"

"对，一点也不错。"

"噢，太好了。"汉尼手舞足蹈地离开了斯特罗的家。

当天夜里，斯特罗就把老汉尼装着 54 个金币的坛子完好无损地送回汉尼的后院。

你知道这是怎么一回事吗？

● 答案见 153 页。

[A13]

埃利事先已做好演出准备，说明他对巴蒂的死和自己将上场演出有准备，这就让他有了谋杀的嫌疑。如果他事前不知，他上场前就应做一些准备工作，如调好琴弦之类。

真假绅士

Q15 一天，霍桑侦探社来了个陌生客人。这是一位戴黑边眼镜、蓄胡子、年约50岁的中年绅士。他请人保护自己，因为有人要暗杀他。

这位客人已经结婚20年，夫妻恩爱，但有一个不为人知的秘密，就是他在外面与一个20岁出头的年轻小姐交往甚密。而年轻小姐也有一个法国男友。最近，法国男友得知自己的女朋友与他的密切关系后，非常妒忌，除派人跟踪他们外，更扬言要杀死他。

最近，他太太正外出旅行。就在昨晚，他加班回家，打开家门，只见屋内一片凌乱，心知不妙，特来请求霍桑帮忙。霍桑只得答应，并叫他明早再来研究对策。

第二天早晨，霍桑被报上的头条新闻所吸引：昨天，一位绅士惨遭暗杀，霍桑细看报道，怀疑死者原来就是昨天所见的中年男子。

霍桑急忙赶赴现场。发现尸体躺在床上，脸被毁容，无法辨认。警方凭借死者的指纹，配合现场环境，推测疑犯可能是撬开窗户，潜入屋内，把熟睡中的户主杀害的。警方还在书桌上发现了一张法文报纸。

于是霍桑把昨天陌生人到访的事向警方陈述了一遍。警方登报通缉了那位年轻小姐及她的法国男友。

不久，被害人的妻子旅游回来。知悉丈夫遇害后，非常伤心，对于丈夫有外遇一事甚感奇怪，因为20年来，丈夫是个顾家、爱护妻儿的好丈夫、好父亲。

此案的审理一直没有头绪。一天，当霍桑和助手在一家餐厅吃饭时，突然听到邻桌传来一个熟悉的声音，循声望去，霍桑发现绅士的妻子正与一个人谈话。这时，他们才恍然大悟。

你知道这是怎么回事吗？

● 答案见154页。

藏在叶子下的古币

 布莱克探长接到他的朋友——收藏家凯恩的电话，说有一枚稀有的古金币要拿到市场上拍卖，为了安全起见，请探长陪他一起去。

下午探长如约赶到，想不到呈现在探长眼前的竟是凯恩的尸体。他被钝器击中，死亡时间约在半小时前。

探长把凯恩的尸体翻了过来，发现上衣领上有一枚绿色三叶形的徽章，徽章后面有一样东西闪闪发亮，仔细一看，正是那枚古金币，它藏在徽章的夹层中。探长将金币放回原处，又把尸体的脸朝下恢复原状，若有所思地凝视着死者身上外翻出来的衣兜。

当探长查看这位独居死者的厨房时，凯恩的侄子汤姆走了进来，见状惊问是怎么回事。探长从碗橱里取出一个茶叶罐，打开盖子让汤姆拿着，自己则边从罐中取茶叶边说："今天早上，你叔叔打电话叫我下午来陪他到市场上拍卖一枚古金币，显然凶手抢在了我的前面。看来凶手是搜遍了尸体，但一无所获，因为你叔叔没有把金币放在衣兜里。"

探长停顿片刻，将一壶水放在炉子上说："你替我把它拿出来吧，它就藏在叶子下面。"汤姆立即放下手中的茶叶罐，离开厨房。过了一会儿，他从叔叔身上找到了金币。

"你为什么要谋杀你叔叔？"探长厉声责问汤姆。

请问：探长为什么认定汤姆是凶手呢？

[A14]

这是老汉尼利用了斯特罗的贪心施的一条妙计。斯特罗和汉尼谈完话后暗想：这老头一定是要再放 46 个金币到坛子里去，为的是凑够 100 个金币。但如果老头发现原来的 54 个金币不见了，就不会再放另外 46 个了。斯特罗为了得到另外的 46 个金币，所以连夜把 54 个金币送回原处了。

鸡蛋的奥秘

 19世纪末，某国的军事专家们研制出一种新型武器，但武器的图纸却失窃了。这令当局非常恼火，这关系到国家的安危。

大街上到处都是盘问的警察，人们的生活也变得紧张不安起来。虽然警察们都很努力，但是仍然找不到任何线索。没有办法，警察局局长只好请来了当时著名的大侦探帮助破案。

一天，大侦探来到检查站。当他看到一位老太太挎着一筐熟鸡蛋从检查站走过时，就转身问旁边的一位警察："这位老人经常带熟鸡蛋出去吗？"

"是的，我还吃过她的鸡蛋呢，她会有什么问题？"

"问题就在鸡蛋上。"大侦探让警察追回老太太。放在筐底层的鸡蛋被剥去外壳后，大家发现蛋白上有清晰的字迹。

你知道那些字是用什么方法写上去的吗？

● 答案见 156 页。

[A15]

原来那个人就是出现在侦探社的那个中年绅士。他与被害人的妻子有不寻常的关系，恐怕被害人知道，于是假扮成被害人到霍桑侦探社求助，并捏造被害人与年轻小姐两人的奸情。
当晚，被害人的妻子先打开窗户离去，制造不在场证据，让中年绅士潜入，把被害人杀害；要是被害者的脸保持完整，他们的计划就会失败，故把被害人毁容，还放下一份法文报纸，假装凶手是个法国人，以扰乱警方的视线。谁知，霍桑侦探竟然遇到了二人，还听出了凶手的声音。

[A16]

汤姆从他叔叔尸体上找古金币的事实证明他是杀人凶手。假如他是无辜的，探长所说的"它就藏在叶子下面"，汤姆只会将"叶子"理解为手中茶叶罐中的茶叶，而不会想到三叶形徽章，立刻去翻他叔叔的尸体。只有翻找过尸体的人才会知道衣服上有三叶形徽章。

狡猾的小偷

Q18 某国名贵的钻石"天王之星"在一家博物馆展出。为保证钻石的安全，博物馆在本来就戒备森严的展览厅里又新增红外线监控系统，只要有人在非开放时间进入展厅，红外线就会立刻监测到，警卫也可以在电视屏幕上清晰地看到进入者的图像。博物馆馆长放心地说："钻石进了博物馆，比进入保险箱还安全。"

深夜，一个小偷悄悄地溜进了博物馆，他先不急于走进展厅，而是从口袋里摸出一面小镜子，小心翼翼地沿着墙角来到第一个发射仪面前。他仔细地观察了发射仪的方向，然后用最快的速度把小镜子竖在发射仪面前，一个小小的红点开始在镜子中央闪烁。

小偷知道现在这个发射仪发射出来的红外线会被全部反射回去，这等于让红外线装置变成了瞎子。用同样的方法，小偷很快搞定了所有的发射仪，之后他来到大厅中央一人高的宝石展柜前。

"天王之星"在幽暗的大厅里发出夺目的光彩，小偷拿出笔记本电脑，开始破译展柜的密码。5分钟后，密码成功破译，展柜被悄然无声地打开了。

就在小偷把"天王之星"拿到手上的时候，忽然四周警铃响起，博物馆中的大灯一下子全部亮起，照得大厅亮如白昼，四名全副武装的警卫冲了进来。

"放下钻石，放下钻石！"警卫们大叫道。

"该死！原来钻石下面还有压力感应系统！"小偷开始为自己的鲁莽而后悔。他把钻石揣进口袋，高高举起双手。

"把身上所有的东西都扔过来。"警卫高声喊道。

小偷把身上装工具的包、电脑、手表甚至钥匙都扔了过去。

"把钻石放回去！"警卫继续高声喊道。

小偷犹豫了一下，忽然一猫腰钻进展柜，举起用来托钻石的花岗岩底座，把钻石放在下面，大声叫道："不要逼我，否则我砸碎钻石！"

警卫们顿时面如土色，他们没想到事情会发展成这个样子。经过短暂讨论，其中的一个警卫按下了遥控开关，展柜迅速关上。现在，轮到小偷傻眼了。

"既然你不愿意出来，那就在防弹玻璃里过一夜吧。"警卫们笑道，"晚安，先生，明天会有人来收拾你的。"

第二天，当博物馆警卫带着警察走进大厅的时候，他们惊讶地发现，小偷竟然划开玻璃，带着钻石逃走了！但是小偷所有的工具都被收缴了，他是怎么跑出去的呢？

➋ 答案见157页。

155

水的语言

 这天早上，在夏威夷的一个酒店里，特工杰米在泡澡，他在温水中边洗边思考问题。洗完后，他拔掉浴缸里的橡木塞，看着水由左向右打着旋涡缓缓下降。

"真有意思！"杰米笑着说。他穿上大衣、戴上便帽准备出门，这时，门外传来了敲门声。

"谁呀？"杰米问道。

"是我，埃里。"门外的人说道。

埃里是当地最有名的家具店的老板，可是杰米和他没什么来往。

"他来干什么？"杰米带着疑惑打开了门，却见一个高大威猛的男人手持长柄猎枪，一脸阴沉地说："跟我们走一趟吧！"接着，从高大男人身后忽然蹿出来两个黑衣人，他们飞快地绕到杰米旁边，一人捂住杰米的嘴，并给他套上头套，另一个则用手铐铐住他的手。不到30秒钟，杰米就完全无法动弹了。这些人把杰米迅速抬到一辆汽车上。

在以后的好几天里，杰米只能隐约听到车辆行驶的声音。他好像上了船，在海上航行了很久，然后又下了船，重新开始坐汽车。到达目的地时，杰米被关到一个门窗密闭的房间里。铁门上的喇叭里传来一阵刺耳的声音：

"亲爱的杰米，你耐心在这里等着吧。我们组织的首领被你们抓起来了，现在我们要拿你去换他。"

杰米怒吼起来。可任凭他怎么发火，喇叭里都没有一点儿回音。杰米开始清点自己的装备：身上所有的东西都被收走了，只有鞋子还在，鞋跟上有一个微型通讯器，能够让他联络到总部，可是自己现在身处何处呢？

杰米仔细分析，绑架他的人只可能来自加拿大或者新西兰，要是能确定方位该多好，可现在他却被关在这里出不去。百般无奈，他只好先走进浴室，想好好儿泡个澡。泡在浴缸里的时候，杰米好像忽然想到了什么，他拔掉浴缸塞子，看到水流开始以从右向左顺时针方向的旋涡下降，不由得咧嘴笑了起来，因为，他现在知道自己身在何处了！

你知道杰米是如何判断出来的吗？

[A17]

用醋酸把秘密内容写在鸡蛋壳上，然后将鸡蛋煮熟，鸡蛋的外壳上就一点痕迹都没有，字迹都留在了鸡蛋的蛋白上。因为蛋壳主要成分是碳酸钙，被醋溶解后就剩下蛋白与蛋壳之间的一层半透膜，这层膜可以把醋里的色素透到蛋白里面。

撕纸断案

古时候，一位皇帝和几个侍从微服私访。他们来到一个村子，只见一群人围在一起吵吵闹闹的。皇帝上前一看，原来是一个叫刘洪和王庆的人在吵架，刘洪说王庆把他的田卖给自己了，而王庆抵死不承认。

皇帝问道："休得喧闹，刘洪，你说王庆一年前就将地卖给你，可有证据？"

刘洪忙说："当然有。"

"那你拿出来给乡亲们看看，也好做个凭证。"

"拿就拿，"说完，刘洪从怀里拿出了一张田契。

"乡亲们，那完全是伪造的，我从未写过什么卖田契约。"王庆赶紧喊冤道。

皇帝把手一摆，示意王庆不要吵闹，然后他仔细地看了看那张里外都已泛黄的田契。他沉吟半晌，突然"刺啦"将田契一撕两半，笑道："这田契是假的。刘洪，你伪造田契，霸占别人土地，该当何罪？"

那么，皇帝是怎样判断出田契是假的呢？

[A18]

警卫忘记了钻石是世界上最坚硬的物品，小偷只要用钻石就可以划开玻璃，轻松逃走。警卫也许是心急了，花岗岩底座怎么可能砸碎坚硬的钻石呢？

[A19] 杰米身在新西兰

水的旋涡受地球自转的影响，在地处北半球的夏威夷，水流旋涡是逆时针旋转的；而在地处南半球的新西兰，水流旋涡是顺时针旋转的。

一道数学题

Q21 一天，刑警约翰在火车站一带巡逻，看到一个中年人带着 4 个小孩，这些孩子看上去好像很害怕。约翰觉得很奇怪，便一路跟着他们。

中年人带着孩子们上了车，约翰也上了车，并在他们对面坐了下来。为了了解情况，约翰热情地跟中年人搭讪。中年人自称是一所学校的数学老师，那些孩子都是他的学生，这次他是带孩子们去参加数学竞赛的。

约翰装作若无其事的样子问了一句："他们多大了？"中年人摆出一副数学家的架子说："他们的准确年龄相乘等于 3 024，而且他们 4 个人一个比一个大 1 岁，你来算算看。"

约翰知道，这中年人在故意为难他。约翰亲切地问其中一个孩子："小朋友，你几岁了？"中年人不等孩子回答，马上接过话头："你猜不出来了吧？他是我儿子，今年 5 岁了。"话音刚落，约翰就用手铐把他铐了起来。

你知道这是为什么吗？

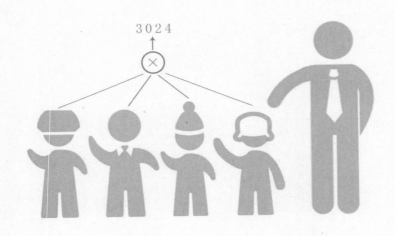

[A20]

一般纸张时间长了会变黄，但这只是表面，纸张里面应该还是白的。而做过手脚的纸撕开后里外都是黄的，明显是伪造的。刘洪是用茶水浸泡纸张自己写的田契。

一次蹩脚的"英雄救美"

这天，波洛到公园散步。他正走着，忽然看见前面有两个年轻人扭打在一起，其中的一个被对手在右胸上打了一拳。

波洛走过去，拉开了两人。这时，旁边走过来一位姑娘，她关切地问那个挨了一拳的年轻人伤着没有。被打了一拳的小伙子连说没事，并从衣服的右胸口袋里掏出一副眼镜戴上。

经过询问后，波洛才搞清楚，戴眼镜的年轻人在追求那个姑娘，这天好不容易才约她出来。不想竟闯出一个人来调戏姑娘，年轻人便和他打了起来。

波洛见那人身强力壮，"眼镜男"明显不是他的对手。

待那人离去，波洛把"眼镜男"叫了过来。他背对着姑娘，低声对"眼镜男"说："这种'英雄救美人'的把戏以后可不能用了，万一被姑娘发现，可就弄巧成拙啦！"

"眼镜男"的脸"刷"地一下红了。

那么，波洛是怎么看出来的呢?

[A21]

数字计算中有这样一条规律：凡是同 5 相乘的数，乘积的尾数只能是 5 或 0。中年人开始说孩子们年龄乘积是 3 024，又说一个孩子 5 岁，尾数既不是 5，也不是 0，因此可以断定他不是数学教师，他在说谎。

一根毒针

在安德教授的办公室里，教授正和他的朋友迈特坐在椅子上喝茶。喝着喝着，迈特觉得脑袋有点儿晕，没等他说什么，教授就耷拉下脑袋昏过去了，然后他也失去了知觉。

当迈特醒来时，已经是第二天了。安德教授已经死了，只见他的颈上扎着一枚约5厘米长、带有软木塞的针。无疑，他是被针上的毒药毒死的。是谁杀死了教授？迈特惊恐万分，立刻跳起来，赶紧去报了警。

警察勘察了现场，并把迈特带回去询问。"迈特先生，你说你和教授在屋里谈话，门已经被反锁，窗户也已经关好了，是吗？"

"是的，因为我们在谈一件机密的事情，所以把门窗都关好了。"

"那就很奇怪了，经我们检查，门窗都没有被破坏的痕迹。凶手是如何进去杀害死者的呢？"

迈特想了想，终于想起来曾经有个人中途进去过一次。

"教授的一个青年助手端着两杯茶，推门进来过。他给我们送来茶后，又拿来一个水壶，放在教授旁边的火炉上，就把门关上走了出去。教授小心翼翼地把钥匙插到门上的锁孔里，把门锁上，说：'我不想让任何人打扰我们的谈话。现在，我连自己的助手也不敢相信了。'然后……"

"你赶快带我们去看看那个水壶吧。"

迈特和警察找到了那个茶壶，可是并没有发现什么可疑的事情。

"这个水壶好像有点儿不一样了，我记得当时这里有个塞子塞着的。"迈特思考着，突然他好像想起了什么，立刻叫警察把那根杀死教授的毒针拿来，结果发现这根毒针上的木塞正是塞在壶嘴上的那个。

大家顿时都明白了教授是怎么被害的。

那么，带软木塞的毒针是怎样刺进教授的颈项的呢？

● 答案见 162 页。

[A22]

问题出在眼镜上。那个身强力壮的人打了年轻人的右胸，居然没有把他放在右胸口袋里的眼镜打破，这明显就是在演戏。

门镜的作用

 一天，歌星马丽安在家中被人杀害了。杰克探长接到报案后，很快赶到案发现场，只见马丽安小姐穿着一件睡袍躺在血泊中，胸口遭到了致命的一击。

杰克仔细检查了一下门锁，发现这锁是带有双保险的那种，没有钥匙是无法从外面打开的。门上又没有被撬过的痕迹，因此，毫无疑问门是从内部打开的。杰克还注意到，房门上还有一个能够向外窥视的"猫眼"——门镜。杰克从"猫眼"向外望了一下，门外的一切都看得很清楚。

一会儿，法医的化验报告送到了杰克手中：死亡时间为昨晚 7 点半至 8 点半左右。杰克马上找来公寓管理员，请他试着回忆一下，在昨晚 7 点半至 8 点半这段时间里，都有谁来过公寓，包括找其他住户的人。

管理员仔细地想了想说："昨天晚上来公寓的人比较少，在你说的这段时间里，只有两个人来过，一个是附近送外卖的人，另一个是马丽安小姐的男朋友。"

杰克立即传唤了这两个人，送外卖的说："昨天下午，马丽安小姐说 7 点半送一份外卖过去。我按要求晚上准时到了她家，按门铃却没人开门，我在门外等了 15 分钟后就离开了。"

马丽安的男朋友十分悲伤地说："我昨天和马丽安约好 8 点去一个宴会的，可是当我到了她家，怎么按门铃，也没人开，我只好独自一个人去了。"

杰克探长思考了一会儿，深深地叹了口气后对死者的男朋友说："收起你的假慈悲吧，马丽安是你的女朋友，你怎么就忍心将她杀死了呢？"

年轻男子的脸一下子变得灰白，他猛地站起来说："你怎么能血口喷人呢？"

"先生，不要激动。"杰克探长语调平缓地说，"事实会证明我的判断是正确的。"
请问：杰克是如何得出这一结论的呢？

昨天下午，马丽安小姐说 7 点半送一份外卖过去。我按要求晚上准时到了她家，按门铃却没人开门，我在门外等了 15 分钟后就离开了。

我昨天和马丽安约好 8 点去一个宴会的，可是当我到了她家，怎么按门铃，也没人开，我只好独自一个人去了。

谁是真正的罪犯

Q25 有一个名叫"谎言俱乐部"的组织，这个组织的成员，不管在什么场合都必须说谎话。警察局好不容易扣留了这个组织的三名嫌疑犯。现已查明，这三名嫌疑犯中只有一个人是该组织成员。警察们感到很困惑，到底谁是该组织的成员呢？

善解疑难问题的约翰警官听到这个情况后，急忙驱车赶到警察局。他走进审讯室，见审讯正在进行，就悄悄地坐在一边。

此时 A 已经回答完审讯人员的提问，站在一边。

只听 B 说："A 刚才坦白说'我就是谎言俱乐部的成员'。至于我嘛，当然不是这个组织的成员。"

B 的话音刚落，C 马上就接上了话头说："不对。A 刚才坦白说'我不是谎言俱乐部的成员'。至于我嘛，当然也不是这个组织的成员。"

听完他们的话，约翰警官站起身来，指着其中的一个人说："你就是真正的罪犯。"

请问：约翰指的是谁？他是如何判断的呢？

[A23]

水蒸气在膨胀时，它的压力约比水要大 1 800 倍。教授的助手利用了蒸汽的这一特点，把封死壶盖的水壶放在炉子上，用插有毒针的软木塞把壶嘴塞住，然后将壶嘴对准教授所坐的位置和他颈项的高度。水烧开后，蒸汽的力量把软木塞同毒针一同射出，扎在教授的颈项上，杀死教授。

[A24]

杰克探长是根据死者身上只穿了一件睡衣以及猫眼来判断的。因为他已经判断出是死者自己开的门。马丽安肯定会从猫眼中看来人是谁。只有当来访者是很熟悉的人时，她才会穿着睡衣去开门。所以这个熟人当然就是她的男朋友了。

超完美自杀案

Q26 某市郊区有一座破旧的公寓。公寓里住的都是一些靠救济金生活的可怜老人。冬日的一天，管理员发现一个多星期没看到3楼的乔泰里特了。乔泰里特是一位退伍老兵，在战争中被炮弹炸断了左腿，子女又都失业了，只好独自住在这座破公寓里。

于是管理员来到3楼，敲了几下门，但房间里没有一点儿反应。门从里面反锁住了，管理员用钥匙也无法打开。管理员便报了警。

等到警方赶来，用工具砸开房门后，人们便看到里面恐怖的一幕：乔泰里特被一根绳子直挺挺地吊在屋子中间，已经去世很多天了，屋子里都是令人窒息的难闻味道，窗子也关得紧紧的，只有换气风扇在不紧不慢地转动，发出单调且刺耳的声音。

警方随即展开了调查。他们发现乔泰里特距离地面有1米，而且身下没有任何用来垫或踩的物品，只有一条腿的老兵是无论如何也不能凭空跃起1米高的，地上也没有潮湿的痕迹，说明不是用冰块一类的物品来垫脚的。

警方断定这是一起谋杀案。可屋子的门是反锁的，窗子也关得紧紧的，如果是他杀的话，凶手怎么逃离现场呢？

赶来查看现场的探长凭着多年的经验判断，坚定地说："我觉得老乔泰里特是自杀的。我刚才调查过，乔泰里特在死前两个月为自己投了巨额保险，他如果被谋杀，保险公司就要向他的遗产继承人赔付200万美金的保费。"

"可是，他是如何自杀的呢？"警官反驳道，"他只有一条腿，是无法够到离地近3米高的绳圈的。"

探长没有说话，只是仔细地搜查了房间。他在废纸篓里找到一张被揉得皱巴巴的纸团，展开一看，是一张化学品商店出具的收据，再看到转动的风扇，他立刻明白了老乔泰里特的良苦用心，他想用自己的死换取子女们更好的生活。

可惜，他精心布置的他杀现场还是被探长识破了。

你知道乔泰里特是如何自杀的吗？

....

[A25] 约翰指的是 B

这只要对 A 的供词作一番分析，问题就清楚了。

如果 A 是该组织成员，那么他在招供时一定撒谎。所以他肯定会说：我不是谎言俱乐部的成员。如果 A 不是谎言俱乐部的成员，那么他一定说实话。所以他也会说：我不是谎言俱乐部的成员。也就是说，不管是真是假，A 的供词只能是：我不是该组织成员。

这样一推理，就可以断定，说谎话的就是 B。

自杀还是谋杀

Q27 这是个炎热的夏天，正在度假的柯南探长，此刻正躺在宾馆的房间里，可恼人的是宾馆的空调坏了，36℃的高温让人昏昏欲睡，探长感到异常烦闷。

"砰！"一声沉闷的声响打断了柯南探长的思绪，凭借职业敏感度，他分辨出这是一声枪响。柯南马上和服务员到楼上的房间里查看。

服务员打开房间，只见一个男青年倒在血泊中，子弹穿透了他的心脏，看来是没救了。他的手上握着一把手枪，遗书端正地放在桌子上，房间里到处散落着乱七八糟的手稿，窗户紧紧反锁着。

服务员尖叫着报了警，柯南则继续查看现场。死者似乎是一个不成功的作家，他留下的遗书里充满了对自己命运的失望，看来是因为梦想不能实现而自杀的。

随后，赶来的警察开始整理证据，他们检查了手枪，发现这把枪上只有死者本人的指纹，手枪只射出过一发子弹。经过笔迹对比，遗书也是他本人写的，看来这是一起自杀案件。

"为什么有这么多人想不开呢？"警察挠挠头说，"柯南先生，谢谢你帮助我们的工作。"

"不客气。"柯南摇摇头说，"大家都是同行嘛。唉，这鬼天气还真是热啊！"说着柯南四处寻找电扇，却发现电扇掉在了桌子下面。原来自杀者倒下的时候刚好压到了电源线，带倒了电扇。

既然事情已经弄清楚了，下面的工作就是清理现场了。柯南打算和同行多聊聊，于是他拽起电源线，把电扇放回桌子上，然后插上电源，电扇立刻转动起来，柯南感觉舒服了许多，同时他也想到了什么。

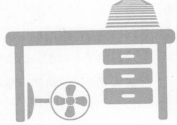

"不对，弄错了！"柯南说。然后，他说了一下理由。
警察点点头："我同意，原来真相是这样的！"
你知道真相是怎样的吗？

[A26]

乔泰里特在化学品商店购买了一大块干冰，然后踩在干冰上够到绳圈。干冰是固态的二氧化碳，受热不会融化，而是直接气化，生成的二氧化碳由换气扇排出去。当尸体被发现的时候，二氧化碳早就排光了，干冰也消失得无影无踪，乔泰里特真是用心良苦啊。

数学家之死

Q28 "每个伟大的科学家在成名前都很潦倒,伽利略是这样,爱因斯坦是这样,我也是这样……"这段话是笛生的开场白,他对所有人都这么说,然后请求别人赞助他的数学研究。

笛生至今还没碰到赞助人。但笛生并没有受到这些人的影响,仍每天闭门研究深奥的数学原理,对门外的事情毫不关心。公寓管理员米莉太太是笛生唯一的朋友,米莉太太经常在笛生饿肚子的时候接济他。

这天,米莉太太想起来已经好多天没有看到笛生了,于是她便来到笛生住的 310 号房间看他。敲了半天门没有反应,她忽然发现笛生的房门下端隐约有一摊血迹!血液从门里渗了出来,已经凝固成深红色。米莉太太忍不住尖叫起来,她飞快地跑到楼下报了警。

警察破门而入,发现笛生身中 6 刀,已经在几天前就去世了。他横卧在地上,手里抓着一根铁丝,铁丝被捏成圆形的样子,除此之外,没有任何线索。

"你能提供些嫌疑人的线索吗?"警察询问米莉太太,"你觉得谁会做这种残忍的事情?""这幢大楼里所有的人。"米莉太太说,"他们都不像好人,要不是租金便宜,笛生也不会住到这里来,他是个多么好的人啊,总梦想能成为数学家……"说到这里,米莉太太忍不住流下了眼泪。

"等等,"一个警察忽然说,"你说他梦想成为一名数学家?"

"是啊。"米莉太太哽咽着回答,"他整天算来算去的,这么努力下去,他一定会成功的……"

"数学家……铁丝……圆……"警察喃喃自语,他好像想到了什么。

几分钟以后,他抬起头说道:"我已经知道凶手是谁了,让我们现在就去逮捕他!笛生真是个聪明人,可惜啊!"

你能读懂数学家留下的暗示,成功地找到凶手吗?

[A27]

毫无疑问,这是一桩设计巧妙的谋杀案件,要不是死者碰巧带倒了电扇,连柯南也几乎被瞒过去了!插上电源以后,电扇马上转动起来,说明死者碰掉电扇电源线以前电扇是开着的,而如果在开枪的刹那电扇还在转动,遗书就不可能端端正正地放在桌子上。因此,遗书是被人后放上去的,而这个伪装的自杀案件也就露出了破绽。

杀人浴缸

富豪布莱克有一幢能看见海景的豪宅，这天，他的好朋友尼克探长想去看看布莱克先生。路上，尼克给布莱克先生打了电话，告诉他大约半个小时后到。

半小时后，尼克准时到达布莱克家，可他在奢华的客厅里等了 5 分钟后，还不见布莱克先生出现。

这时，仆人特里说："老爷进去洗澡已经半个多小时了，会不会……"

尼克探长撞开浴室的房门，发现布莱克先生泡在浴缸里，已经去世了。从初步检查的结果来看，他是溺水死的，死亡时间大概在半小时前。

警察赶到后作了进一步分析，发现布莱克先生竟然是被海水溺死的！他的肺部有大量海水，而没有淡水残留。同时，整个下午只有仆人特里一个人在家，没有其他人来过。

尼克对警察说："抓住特里，只有他有作案时间，他就是凶手！"

"不是我，真的不是我！"特里拼命地摇头，"你打电话来的时候，老爷还接电话呢，从那时到现在只有 30 多分钟，可是从这里到海边却要一个小时！我就是坐飞机也来不及啊！依我看，一定是这宅子里出现了海鬼，在浴缸里杀死了老爷！"

尼克探长仔细地查看了浴缸，发现在浴缸边上有一些细小的白色粉末，他回头冷笑道："少来了，你那点雕虫小技还能瞒过我吗？你就是凶手！"

你知道特里是怎么在 20 分钟内完成"不可能的任务"的吗？

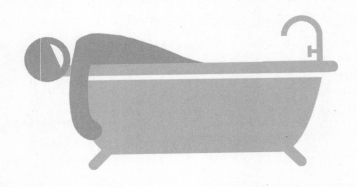

[A28]

笛生在临死前抓住一根铁丝并将其捏成圆形，这是在暗示警察杀害他的人和圆圈有关。大家知道，圆周率约为 3.14，所以他的意思是凶手住在 314 房间。这就是数学家特殊的思维方式，而聪明的警察经过思考，破译了他的"密码"，顺利破获了案件。

关在酒窖里

Q30 杰克先生一向都是星期五上午乘 9 点 53 分的快车离开他工作的城市，2 个小时后到达他郊外的住宅。可是有一个星期五，他突然改变了他的习惯，在没有通知任何人的情况下，他坐上了那天夜里的火车。

回到家里已近午夜零点，他听见他的秘书阿旺正在地下室的酒窖里面喊"救命"。杰克砸开门，将秘书放了出来。

"先生，你总算回来了！"阿旺说道，"一群强盗抢了你的钱。我听见他们说，要赶今天午夜零点的火车回伦敦去，现在还剩几分钟，怕来不及了！"

杰克一听钱被盗走，焦急万分，便请来尼克松探长调查此事。

探长找到阿旺，问："你是说几个强盗用枪威胁你，逼你打开保险柜的？"

"是的。"阿旺答道，"然后他们又逼我服下了一粒药片，大概是安眠药之类的东西。我醒来时，正赶上先生下班回来。"

尼克松探长检查了酒窖：这是个并不很大的地窖，四周无窗，门可以在外面锁上，里面只有一盏 25 瓦的灯泡，发出不太明亮的光，但照明用足够了。

探长在酒窖里找到了一块老式机械表，他问阿旺："发生抢劫时，你戴着这块表吗？"

"呃，是……是的。"秘书回答。

"那么请你好好说说，你把钱藏在哪儿了？你和那些强盗是一伙的！"阿旺一听，顿时瘫倒在地。

请问：尼克松探长是根据什么才这样判断的？

[A29]

思维定式是侦探最大的敌人。在海水中溺死是一条重要的线索，同时也在暗示警察案发地点是在海边，而这一暗示也证明了特里不可能有作案的时间。

实际上，如果仔细思考一下就会发现，并不是被海水溺死就一定发生在海边，如果有足够多的海水的话，在浴缸里同样也能作案，而在作案之后放掉海水，装满淡水，这只需要 10 分钟就足够了。

咬过的苹果

Q31 威廉探长接到一位科研所所长的报案，说他刚接到一个恐吓电话，要他把一份绝密文件交出来，否则就要他的老命。没办法，他只好请探长晚上 7 点到他家，再详细谈谈情况。

晚上 7 点，探长准时赶到所长家里，按了门铃，却不见回音。探长见房间里灯亮着，无意之中拧了一下门把手，发现门竟是开着的。探长走进屋里一看，只见所长昏倒在沙发下面，旁边扔着一块散发着麻醉药味的手帕。

这时，只见所长慢慢地睁开了双眼，本能地摸了摸自己的衣服口袋，失声叫了起来："完了，那份绝密文件被人抢走了！"

探长一听，忙问："是什么人干的？什么时候抢走的？"

所长看了看手表，说："大概 30 分钟前，我一边看电视一边吃苹果，听到门铃响了，我以为是你来了。不料一开门，我被两个男人用枪顶了回来，开口就问我要这份密件，我佯装不知，他们立即用手帕捂住我的嘴和鼻子，以后发生的事我就什么也不知道了。"

果然，所长吃了一半的苹果滚到了电视机下面，电视机电源已断开了。探长从电视机下面捡起了那个苹果，瞧了一眼，说："所长，是你自己卖给他们的吧！"

所长一听，大吃一惊，说："我？岂有此理！你凭什么这么说？"

"你别演戏了，罪犯就是你自己！"探长看了所长一眼，把手中的苹果扔在他面前。所长一看，脸色变得灰白，无奈地把藏在冰箱里的大包美金交了出来。

请问，你知道探长是怎样识破所长假话的吗？

[A30]

由于酒窖四周无窗，阿旺若真的失去知觉，醒来后就无法知道外面是白天还是黑夜；就是有老式手表，他也无法知道当时到底是中午 12 点还是夜里零点。而现在，阿旺知道是午夜零点，这说明他就是作案者。

罪犯是谁

Q32 在新警察训练营里，实战经验丰富的李教官深受学员爱戴。

这天，李教官又开始和学员讨论开了："今天咱们来个新节目，叫作'智辨罪犯'。大家一定要仔细观察。"说完，他就把一张光盘放进了 DVD 中。

镜头里，只见两个并肩走在一起的人，乍看起来并没有什么异样，但仔细一看，就会发现他俩一个人的右手和另一个人的左手铐在同一副手铐上。两人是背对着屏幕的，所以看不到他们的表情。

"大家看到了，这两个人用手铐各自铐上一只手。其中一个是便衣警察，一个是罪犯。那么，谁能判断一下到底谁是警察呢？"

学员小邓很快地举起手，说出自己的判断。"小邓的判断十分正确。不过不要忘了还有特殊情况哦。"李教官说。

请问：小邓的判断是怎样的？李教官所说的特殊情况又是什么呢？

[A31]

探长识破所长假象，就是靠那个苹果。苹果表皮被破坏后，果肉极易氧化、变色。
所长咬过的苹果还没有变色。如果真如所长所说，30 分钟前被人麻醉昏倒的话，那么咬过的苹果的颜色应该会变。

作家之死

一天，警察局接到一个报警电话，霍金先生的管家达森说，他的主人在焚烧了所有的手稿之后，开枪自杀了。

探长立即带着警察来到山间别墅。在现场，他们发现壁炉里有许多灰烬，桌子上有遗书，上面写着："我已面临绝境，只能选择开枪自杀……"下面有霍金的签名和日期。

化验显示，枪上只有霍金的指纹，霍金身上的子弹和枪里的一样，遗书是死者在惯用的稿纸上写的，完全是死者的笔迹，壁炉里残存的纸灰，字迹已经无法辨认，质地和作家所用的稿纸一样。

当这一切都得到确认后，警察们一致认为自杀的结论是可以成立的。但是，负责写报告的亨利探长却犹豫了，他有不同的看法：这位作家为什么要自杀呢？于是他又进一步展开调查。

霍金的出版商里克得知霍金自杀的事情，惊讶地说："这怎么可能？绝对不可能！霍金跟我签了合同，打算写3本惊险系列作品，他的作品很畅销，怎么会自杀呢？"

"听说有人分析霍金是精神失常。"探长说。

出版商立即反驳："霍金思路敏捷，正当中年，他的事业如日中天，说他精神失常，简直是无稽之谈！"

探长取出作家遗书的复印件，向这位出版商讨教。出版商仔细看了几遍，恍然大悟，他立刻向探长指出了遗书的来历。

于是，探长立即断定，杀害作家的凶手正是管家达森。

你知道，探长是如何判断的吗？

我已面临绝境，只能选择开枪自杀……

● 答案见172页。

[A32]

右手被铐住的是犯人。小邓是这样判断的：警察铐住犯人的右手，而铐住自己的左手。这样，假如犯人一旦不老实，警察就可以用右手制伏对方，或迅速掏枪。李教官所说的特殊情况，是指如果警察是个左撇子，他也可能铐住自己的右手。

名画被盗

Q34 大盗菲米将 A 国美术馆珍藏的一些世界名画全部盗走，他计划将画装在客货轮上运往 B 国。当然，由于这些画是赃物，他还须瞒过海关偷偷运出去。著名侦探山姆知道了菲米的这一计划后，立即赶赴港口。

客货轮上堆满了货物，眼看就要起航了，山姆同海关人员一同上船，对船上所有货物进行检查。可他们查遍了船内的所有货物，连世界名画的影子也没见到。

"菲米！你把东西藏在什么地方了？还是老老实实地说出来吧。你想用这条船把名画运到 B 国，这件事我已经知道了。"山姆追问道。

"山姆，你真是个疑神疑鬼的人啊。这条船上哪有什么名画呀，要是不信，就随你搜好了。"菲米嘲笑道。

海关人员怎么找也找不到这批世界名画，就连山姆也灰心了。

"山姆，要是怀疑消除了，就放我们走吧。那么，再见！"菲米说完，就命令船长开船。

客货轮鸣着汽笛，徐徐离开了深水码头，被两艘拖船一直拖到港外。菲米站在客货轮的甲板上，得意地向山姆摆着手。

山姆站在码头上，遗憾地望着船远去。不久，船似乎到了港外，两艘拖船返回来了。

"糟了，上菲米的当了！"当山姆发现菲米的巧妙计谋时，已经晚了，客货轮径直开出了海港驶向了 B 国。

请问：大盗菲米到底是将名画藏在什么地方运出港的呢？

愚蠢的诈骗犯

Q35 一天，12岁的张丽在家玩。爸爸妈妈有事出去了，家里只剩她一个人。突然门铃响了，小张丽打开内门，看到一个穿着警服、目光锐利的人。

"你是张丽吧，我是你爸爸的一个同事。"来人脸上的表情很亲切。

"噢，对不起，我不认识您。"张丽本想打开铁栅子门让这个人进屋，隔门说话不太礼貌。但最终她没有那样做。

"您有什么事吗？我爸爸不在家。"

"说来不好意思，我到这一街区办事，突然想起你爸爸住在这一带，就上来看看他。我是一名警察。"说着，那人掏出一张名片递给张丽说："这是我的名片，我绝对不是坏人。"

张丽接过名片，看到上面印着：城西公安局刑警×××。凭着在法制夏令营里学到的知识，张丽马上判断出这人是个骗子。

你知道张丽是根据什么吗？

[A33]

一切迹象似乎都在暗示霍金先生是自杀的。但是，当警方在达森的屋子里找到完整的新作手稿以后，真相便大白了。

除了霍金没有自杀的动机之外，警方从他的出版商里克的证词中，知道了所谓的遗书，正是霍金先生新作中的最后一页草稿。霍金早就把手稿告诉过里克先生，那一页上肯定会有签名和时间，这反而给了凶手可乘之机。达森想把书稿占为己有，于是杀害了自己的主人，伪造了自杀现场。

[A34]

被盗的名画就放在两艘拖船上，所以在客货轮上无论怎样寻找也是找不到的。一到了港外，菲米就将名画从拖船上搬到客货轮上。也就是说，拖船的船长也是大盗菲米的同伙。

"6801" 的含义

Q36 "真是一个糟透了的夜晚！"罗西嘟囔着放下话筒，他被一串电话铃声吵醒了。卡洛尔警员在电话中说，发生了凶杀案，要他马上过去。

罗西赶到了现场，看到死者是在床上被人掐死的。从现场凌乱的梳妆台看，被害人曾和凶手进行过搏斗。

"见鬼，谁这么讨厌，杀死一位这么可爱的小姐，还打扰了我的好梦。"罗西不耐烦地环视着四周。

目前警方在现场还没有找到突破性的线索，死者脖子上的指纹也很模糊，凶手一定对犯罪现场进行过处理。

突然，窗台下的一支口红吸引了罗西的目光。他迅速走过去捡起了那支口红，只见口红的顶部像是被什么东西磨过，几乎都磨平了。这个细节立刻引起了罗西的注意，他在口红四周看了看，但是并没有找到他想要的东西。他吩咐警员四处找找，看看有没有什么字迹留下。不一会儿，一个警员在被窗帘蒙着的墙壁上找到了一串奇怪的数字"6801"。

"这4个数字说明了什么呢？"卡洛尔紧皱着眉头低声地问。

"这个数字一定与凶手有关系。"罗西想了想，转身叫来饭店副经理，让他马上去查一查前一天晚上在6801号房间住的是什么人。

副经理马上拿来旅客登记簿查看，然后对罗西说："对不起，警察先生，6801房间一直没有人住。"

"哦，那你给我查一下1089号房的客人是谁。"罗西突然想到了什么。

"1089号房间就在隔壁。"副经理说。罗西马上和卡洛尔敲开隔壁的房门，只见里面的人正在打点行装，准备离开。

"我是警察，"罗西大声地说，"先生，希望你老实交代杀害阿丽娜小姐的犯罪过程。"

请问：罗西是怎样判断出凶手住在1089号房间的呢？

......

[A35]

刑警并非警察的正式警衔，而是对从事刑事案件调查的便衣警察的简称。所以，名片上是不会用这个职衔的。我国现行警衔由上到下为：总警监—副总警监—警监（分一、二、三级）—警督（分一、二、三级）—警司（分一、二、三级）—警员（分一、二级）。张丽由名片上刑警职衔看出此人是一个假警察。她真是一个聪明的孩子。

最后一个指纹

Q37 克姆正满意地在新居里踱着步子，忽然门外传来了悦耳的铃声，克姆打开房门，却看到了最不想看到的欧文斯。

欧文斯大声说："老朋友，看来你过得不错啊！是用欠我的钱买下的漂亮新宅吧！三个月前你就应该还我钱了！"

"欧文斯，你听我说，"克姆一下子慌了神，"这不能怪我，你知道的，股票下跌是谁也预测不到的……"

欧文斯愤怒地说："克姆，我不跟你废话，两天内，你必须把钱全部还给我！"

"我真的没钱……"克姆可怜巴巴地说。

欧文斯怒火中烧，大声咒骂道："你这个骗子！"接着，欧文斯朝克姆猛扑过去，死死卡住克姆的脖子。

克姆艰难地挣扎着，两手在地上乱抓，他的呼吸越来越急促，反抗越来越无力。这时，他的左手碰到一个什么东西，他根本来不及多想，就拿起来重重敲在欧文斯头上……欧文斯的手松开了，摇晃两下，倒在了地板上。

杀死欧文斯后，克姆马上把欧文斯的尸体拖到后院埋了起来。然后，擦干净所有的血迹，认真清理了沙发、地板和欧文斯碰过的所有东西，没留下一个指纹。正当他做完这一切的时候，门外响起了急促的敲门声。

克姆打开大门，看到两名警察站在门外，一名警察说："克姆先生，我们是欧文斯的朋友，他上午和我们说他来你这里，如果他下午还不回来，就让我们来找你。欧文斯在里面吗？"

克姆强作镇定地回答："欧文斯？他没有来过，根本没有。"

另一名警察笑了笑说："就算你能擦掉他所有的指纹、鞋印，还有一个指纹你是赖不掉的。告诉我们，你把他怎么样了？"

克姆顺着警察的目光看过去，不由出了一身冷汗，这确实是一个他没有想到的地方。

聪明的读者，你知道欧文斯最后留下的指纹在哪里吗？

....

[A36]

这4个数字是阿丽娜小姐被凶手勒住脖子后，在绝望中利用手中的口红在身后的墙壁上写的。由于她的手是背着写的"1089"，在这种情况下，写的数字从正面看恰好是上下颠倒的，结果就变成了"6801"。

做伪证的牵牛花

 一天早上，某城城西的化工厂笼罩在熊熊的火焰中，消防队员奋战了很久才将火扑灭。

警方经过仔细勘察发现，火灾现场有明显的纵火痕迹。另据调查，科研人员熊本和化工厂老板曾有过过节，两人为了一件事情差点儿打起来。今天凌晨，一位拾垃圾的老太太说，好像看见熊本经过这里。

听到这个消息，警长请来了侦探兼养花专家毛利小五郎，一起去熊本家找他。

"咚咚咚"几声敲门后，开门的是一个斯斯文文的中年人。他戴一副眼镜，穿着米色条纹的衬衫，一点都不像丧心病狂的纵火犯。

"我们是警察，来调查一起纵火案。请问今天凌晨大约4点，你在哪里？"

熊本不慌不忙地回答："我在家里啊！我一个人住，有一样东西可以证明我的清白。"

熊本把他们带进了屋子，拿出几张照片说："今天凌晨，为了拍摄牵牛花开花的情景，我起得很早。牵牛花总是在凌晨4点左右开花，一个小时后结束，这是我拍下的照片。"

警长仔细查看了照片，确实是今天凌晨拍摄的。他又核对了拍照用的相机，确定没有自动拍照的可能。警长用疑惑的眼神看着毛利小五郎。

毛利小五郎胸有成竹地说："不错，牵牛花是一种开花时间性很强的植物，每天开花确实是凌晨4点左右，整个过程大约需要45分钟。但这并不能确定熊本没有纵火。"

警长摇了摇头说："这怎么可能？4点45分拍照才结束，而这时候火灾已经发生了，熊本不在场的证明是成立的。"

毛利小五郎微笑着摇了摇头："不，恰恰相反，我觉得熊本是纵火犯。"

你知道熊本是怎么制造出不在场证据的吗？

[A37]

这是一道测试你阅读是否足够仔细的题目，如果你粗心大意的话，可就犯下和克姆一样的错误了。欧文斯是按门铃进来的，所以门铃按钮上还留有一个指纹，而警察敲门进来的原因，就是不想破坏没有被清除掉的指纹。

谁偷走了运动鞋

一天，某中学初二年级的两支足球队要开始比赛了。突然"旋风"队的队员曾涛大叫起来。

"什么事？"队长马克问。

"马上就要比赛了，我的运动鞋突然不见了。"曾涛焦急地说。

"不要慌，好好想想你有没有放到其他地方。"马克不慌不忙地说。

"绝对没有，我敢担保。"曾涛说。

"那么是有人故意偷了你的鞋了。偷走你鞋的人目的是什么呢？肯定是想阻止你参加比赛。那么是谁希望你不参加比赛呢？"

"'沙暴'队的队员们肯定不希望你参加，因为你是他们的劲敌。"队员们纷纷说道。

"不会是他们队的人偷走了我的运动鞋，因为他们不可能进到我们的休息室。"队长马克镇静地说。

"如果这样的话，那么就只有一个人有偷鞋的嫌疑。"

后来，果真在"他"那里找到了运动鞋。

请问：这个"他"是谁呢？

[A38]

事物都是两方面的，作为判断基准的证据，也可能成为洗脱罪名的依据。在这个案件中，熊本试图用牵牛花的开花时间来为自己作不在场证明，可这恰恰暴露了他心虚的一面，因为开花的时间可以改变。最简单的做法是用一个纸罩套住花蕾，开花的时间就往后延迟了。

熊本纵火后迅速回家摘掉纸罩，拍下开花过程，想用这些照片来证明自己不在场。可他凌晨为花拍照的反常行为，反而引起了毛利小五郎的怀疑。

相似的车牌号码

午夜的街头冷冷清清，几乎见不到一个人影。这时，车祸发生了。一个红衣女孩被一辆疾驰而过的轿车撞出近5米远，然后重重地摔在地上。

轿车司机稍微迟疑了一下，然后加速逃离了现场。出租车司机卡拉奇从后视镜中目睹了这起惨剧，他立刻记下肇事车的车牌号码，然后拨打报警电话和急救电话。

等警察和医生赶到的时候，女孩因为失血过多死了。出租车司机把他记下的车牌号码18UA01交给了警察。

警方立刻组织人手调查，查到了车牌为18UA01车主的住址。他们把这个肇事的恶棍从床上揪了起来，可他却满脸惊愕的表情，似乎受到了天大的冤枉。无论怎么盘问，他都不肯承认自己在一个小时以前开过车，更不承认撞过人。

他打开车库，让警察随便调查取证。在车库里，警察们面面相觑：18UA01号车子是一辆廉价的轿车，而不是卡拉奇说的昂贵跑车。这辆灰色轿车没有任何刮擦的痕迹，看来是冤枉了好人。

随警察一起来辨认的卡拉奇非常惊讶。作为一位司机，他对记录车牌号码这样的事情非常熟练，他清楚地记得自己看到的车牌号就是18UA01，而且当时立刻就记了下来，绝不会弄错。

警察找到了18UA81号、18UAl0号、10AU81号和18AU01号4个最相近的车牌号认真分析，终于找出了真正的肇事凶手。

如果你是负责侦办这个案件的警察，你认为最可能作案的车应该是哪一辆？

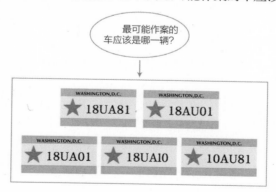

[A39]

这个"他"就是旋风队的候补队员。他想上场，但苦无机会，于是就偷走了曾涛的鞋。因为曾涛没有鞋无法参加比赛，那他就可以补曾涛的缺上场比赛了。

失窃的公文包

Q41 英国一艘豪华邮轮首次远航到日本。这艘是传媒大亨威廉斥巨资订购的超豪华邮轮，有三层舱体和双层甲板，能够为 80 名贵宾提供舒适惬意的旅行。威廉邀请了世界各国的传媒大亨们乘坐该邮轮远航日本，去享受最新鲜的生鱼片和鲑鱼大餐。

大亨们对这次航行赞不绝口。威廉得意地笑了，同时他还告诉大家现在已经进入日本海域了。大亨们纷纷挤上甲板，想看看海上的风景。让他们失望的是，并没有什么特别的风景。

大家又重新回到客厅，讨论起如何提高数字电视技术的话题。忽然，一位贵宾惊叫起来，他的公文包不见了！

人们一下子全都围拢过来，大家都知道公文包失踪对他来说意味着什么，那里面不但有大量现金、信用卡和空白支票，还有许多机密资料和信息，这些信息的价值是无法估价的。

威廉非常恼火，他找来船上所有的护卫，发誓要找出窃贼。经过仔细分析，每个人都能证明自己刚才在甲板上。也就是说，偷走公文包的人只可能是船上的船员。

威廉立刻把船上的 5 名船员叫了过来，一一询问。船长说，他在驾驶舱里一直没走开过，有录像带可以作证；技师说，他一直在机械舱保养发动机，好让发动机能一直保持 37 节的速度，可是没人可以证明；电力工程师告诉威廉，他刚才在顶层甲板更换日本国旗，挂上去后发现挂反了，于是重新挂了一次，有国旗可以作证；还有两名船员说，他们在休息舱打牌，互相可以作证。

威廉听完，立刻指出了其中一个人在说谎，并且让他交出公文包。

你知道谁在说谎吗？

[A40]

在案件的侦破过程中，镜子往往发挥着重要作用。出租司机看到的车牌完全没错，可是由于是从后视镜中看，所以看到的景象是相反的，也就是说，正确的车牌号应该是 10AU81。

没有作案时间吗

一天晚上，在10点至11点之间，有人钻进克林先生的房间偷走了他抽屉里的钱。他赶紧报了案。警官彼得仔细地分析了案情，认为3个人有作案嫌疑。于是，他派人把这3个人带到局里审讯。

第一个人叫迈克斯，他是克林的邻居。他说："不是我干的，那时我正在一辆开往伦敦的车上。"彼得派人一查，确有其事。

第二个人叫托德，他是这栋楼的看门人。他说他当时在看电视，不是他干的。于是彼得向他询问了许多关于当时的电视节目的问题，他对答如流。

第三个人叫吉姆，他是克林的一个朋友。他也说不是他干的。"当时我正在一家酒店里喝酒。"彼得派人到酒店了解情况，也全部属实。

彼得想了一会儿，指着迈克斯和吉姆示意他们可以离开，但要托德留下来交代犯罪过程。

托德一怔，大喊："你为什么诬陷我，我哪里有作案时间？"彼得轻轻地摇摇头，反问道："你怎么没有作案时间呢？"

请问：托德有时间作案吗？

[A41]

电力工程师在说谎。日本国旗是白底加红日的图案，无所谓正反的区别，更别说出现挂倒这种事情了。所以，电力工程师根本没有重新挂国旗，他有足够的时间作案。

真假遗嘱

Q43 汽车大亨库顿因心脏病发作，抢救无效而去世。库顿的 3 个儿子米萨、吉尔斯和大卫都来到集团总部，等待律师宣布遗嘱。3 个人都到齐了，律师当着兄弟三人的面，拆开一份密封好的文件，里面是库顿的亲笔遗嘱："如果我因意外事件死去，库顿集团由吉尔斯掌管。"落款时间是 2001 年 11 月 30 日。

吉尔斯有些惊讶，而米萨恨得牙根痒痒，却又无可奈何。突然，小儿子大卫站起来说道："等一等，我知道父亲在这份遗嘱后面又重新订立过一份遗嘱，根据法律规定，遗嘱内容应该以最后一份为准。"

"哦？"米萨一下子来了兴趣，他连忙追问，"最后一份遗嘱在哪里？"

"在家里客厅的保险柜里。我们现在就一起回去看看吧，如果两份遗嘱一致，那么公司就归吉尔斯管理。如果两份遗嘱不一致，那么我们就按照最后一份遗嘱的内容办。"大卫回答道。

于是，一行人驱车来到库顿先生的别墅。

大卫当着其他人的面走到保险箱前，打开它，并取出了文件。他打开文件，看到了库顿的遗嘱写道："我决定用这份遗嘱，推翻以前所立的遗嘱。我去世后，由大卫掌管库顿集团。"落款时间为 2001 年 11 月 31 日。

大卫得意扬扬地说："不承认也没办法，父亲就是这样分配的，你们觉得不公平可以自己去找他理论。"

这时，吉尔斯哈哈一笑，说道："大卫，知道为什么爸爸没把公司留给你吗？你很有经营头脑，可办大事的时候老是糊里糊涂，这遗嘱一看就知道是你伪造的！"

你觉得第二份遗嘱是真的还是伪造的呢？

[A42]

托德在作案的时候也可以看电视。所以，他说他在看电视没有作案时间是不足为信的。

美金不翼而飞

Q44 绑匪给富翁寄来了一封恐吓信："如果你想让儿子平安回家，就在旅行袋内装上60万美元，在明晚零点，让你的司机在纪念塔旁边挖一个坑，将钱埋入坑里。"富翁接到信后非常着急，于是他向警方报了案。警方请富翁按照绑匪的要求去做。

第二天晚上，司机拿上装有现金的旅行袋来到纪念塔旁边。他挖了一个很深的坑，将旅行袋放入坑中埋好。在司机埋钱时，警方为防不测，还在远处树丛中安排了几名警察把守，等钱埋好后，司机提着铁锹离开纪念塔，留下警察在远处监视着。

直到第二天中午，警察也未发现坑前有任何动静，而富翁的儿子却平安地回家了。警方甚为奇怪，因为并未发现绑匪来取钱，为什么人质就被释放了呢？

警察立刻把埋钱的坑挖开，让人惊奇的是，旅行袋内空无一文，60万美元赎金不知何时被取走了。负责监视的警察证实，绑匪并没有来过，而且也没有任何人靠近过埋钱的地方。那么，绑匪是如何避过警察耳目，巧妙取走赎金的呢？

尼克探长很快就找到了答案，并抓住了绑匪。

你知道，尼克是如何破获此案的吗？

[A43]

不论多么完美的谎言，在事实面前都显得不堪一击。大卫的疏忽在于，他只知道后一份遗嘱更具法律效力，却忘记了11月份只有30天，根本就没有31日。

冰冷的椅子

Q45 一天，波洛接到林斯顿太太打来的电话，她说她把 1 000 美元放在桌子上，结果不见了，请波洛赶快来一趟。

波洛立刻赶到林斯顿太太家，时间是下午 5 点钟。他问林斯顿太太最后一次见到钱是什么时候。林斯顿太太说是 4 点钟。她说她把钱放在桌子上就去洗澡了，4 点半左右回来，就不见钱的影子了。

波洛又问："当时有别的人在你家里吗？"

"有我的女佣露丝，她帮我料理一些家务。"

波洛点点头，来到露丝的屋子。露丝热情地招呼他。波洛坐在屋内唯一的一把椅子上，他感到椅子很凉，他问："请问小姐，林斯顿太太丢钱的时候你在干什么？"

露丝回答说："我是 4 点到林斯顿太太家的，到了之后，我就回到屋里，一直坐在你身下的那把椅子上做针线活，从没离开半步，可是我好像听见有人把门'砰'地关上了。"

波洛笑了一下，说："小姐，我想我能在这个屋子里找到 1 000 美元。你并没有一直坐在这里，你是在我敲你的房门时，才坐到椅子上的。"

露丝看着波洛的脸，慢慢地低下了头。

波洛是怎么知道的呢？

[A44]

60 万美元并未被拿走，因为司机就是绑匪的同伙。他趁着黑夜挖坑时，先将旅行袋内的赎金埋起来，然后在上面放上空旅行袋再埋起来。警察和富翁绝对没有想到钱还在坑里。

烧不焦的罪证

Q46 家住在村外的赵某，发觉其妻与其他男人有暧昧关系，非常生气，扬言要杀死妻子的情人。

一天晚上，妻子乘赵某喝醉酒，伙同情人用绳子将赵某勒死，并放火烧毁了房子。赵某的尸体被烧焦，颈部一片模糊。然后她报案说家里失火，丈夫被烧死了。

警方问赵某的妻子："你是否和丈夫同睡一个房间？"

赵妻回答："是的。"

"既然如此，为什么你的丈夫烧死了，而你却保全了性命？"警方又问道。

"起火时，我丈夫因喝酒喝醉了，睡得很沉，我推不醒他，附近又没人，火越烧越大，我不得已才逃离火海，赶去喊人。"这位妻子哭诉着丈夫被烧死的经过。

但警方经过对尸体颈部的检查，立刻确定赵某是死后被烧。

试问：警方是用什么方法确定赵某是死后被烧的呢？

[A45]

答案很简单，因为波洛就坐在那把椅子上，他感觉很凉，就说明这把椅子已经很久没坐人了。露丝在说谎。

河上的凶杀

Q47 一天，在某条河的水面上，有人发现了一具尸体。

方圆百里没什么人，只有一个渔民，是他报了案。警察仔细检查了尸体，发现死者胸前有很多横七竖八的刀痕。发现尸体的渔民说："死者大概是溺水死的，最近已经不止一次发生溺水身亡的事了。"

"那尸体上怎么有伤痕呢？"

"可能是一些游艇的螺旋桨划的，谁知道水底有死人呢？"渔民很无奈地说。

警察略思考了一下，让助手们搜查渔民的那只渔船。

助手们在渔船的舱底查出了带血的砍刀。原来，正是这个渔民砍死了被害者，又将他丢入了河中。

那么，警察是怎么判断出来的呢？

● 答案见 186 页。

[A46]

人若活活被烧死，烟会进入呼吸道，咽喉内便会被烟熏黑；相反，则咽喉内不会被烟熏黑。

店员的智慧

 一天下午，珠宝专卖店里来了一对夫妇。丈夫身穿笔挺的西服，手上拿着一个不锈钢保温杯，夫人身穿时髦的长风衣，两人看上去都很阔气。

这时，丈夫礼貌地告诉店员，今天是他们的结婚纪念日，所以他打算替夫人挑选一些首饰。店员热情地为他们介绍了各种款式的珠宝和最近优惠的几个品种后，那对夫妻商量了一下，决定先试戴看看。

接着他们出示了贵宾卡——这是极少数顾客才能持有的卡片，这标志着顾客的地位和诚信。于是，店员为他们提供了单独的试戴间，并根据他们的要求，将珠宝送进去给他们试戴。

这对夫妇在店里待了整整一个下午，几乎试过了店里一半的珠宝。最后，他们决定购买一条项链和一对手镯。

就在收银员准备为他们结账时，一个店员忽然注意到，站在丈夫身后的夫人好像很紧张，捧着不锈钢保温杯的手在微微颤抖。这时，丈夫笑着解释说，夫人神经方面有点病症，大夫嘱咐每隔半小时必须吃一次药，所以他们才会随身带着杯子。他出示了口袋里的药物，又打开杯子给店员看，杯子里是满满一杯咖啡。

夫人向店员微笑着表示歉意，同时喝了一口咖啡，证明这里面确实只是咖啡。店员有些迷惑，总觉得什么地方有点不对劲，可具体又说不出哪里有问题。这对夫妻持有贵宾卡，要对他们进行搜查是不可能的，何况楼上负责接待的店员没有发现珠宝被盗，要求检查更是毫无道理。

这时丈夫取出一片药递给夫人，夫人则接过药片，喝下一口咖啡。接着，丈夫拿出信用卡，准备付钱。这时，店员忽然想到了什么，并毫不犹豫地报了警。

很快，警察在装咖啡的杯子里找到了 4 件珠宝，而这些珠宝都是他们用赝品替换下来的。经过调查，警察发现连贵宾卡都是伪造的。大家都对店员的聪明、细致赞不绝口。

你知道店员是如何看出破绽的吗？

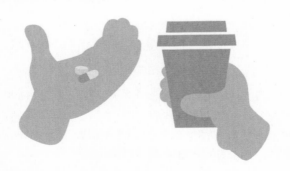

睡衣的作用

Q49 一天晚上，珠宝商用高价买到一颗很大的宝石。一个盗贼听说后，立刻扮成珠宝鉴赏家，来到了珠宝商家里。两人谈得十分投机。当两人看完宝石后，珠宝商当着"鉴赏家"的面把宝石放回原处，上了锁，并让一只大狼狗守在门口。

半夜，盗贼偷偷进入了珠宝商的房子，正当他拿到那颗宝石准备越墙逃走时，被珠宝商发现了，两人打了起来。谁知，那条大狼狗不咬贼，反而把主人咬伤了，"鉴赏家"乘机带着宝石逃跑了。

珠宝商十分沮丧地把灯打开，看到地上的破睡衣，非常生气地说："该死的狗，我养着你还有什么用，连主人都不认得？"

说着便要把狗赶出去，但那只狗还在围着睡衣团团转。

"亲爱的，你看看那件睡衣？"珠宝商的老婆觉得狗有点奇怪。珠宝商捡起那件破睡衣仔细看了一会儿，大声叫道："啊，不！这件睡衣不是我的。我的睡衣前胸口有一块污渍。"

"那我知道是怎么回事了。"珠宝商的老婆说。

你知道是怎么回事吗？

[A47]

警察是根据死者身上的伤痕判断的。溺水死的人怎么胸前会有那么多横七竖八的刀痕呢？而且，即使是由螺旋桨搅伤的，也只能是有规律的三道一组的伤痕。

[A48]

找到自相矛盾的地方，是逻辑推理的重要步骤。丈夫说夫人患病，每隔半小时必须吃一次药，为了证明，两人还在店员面前表演了一次吃药过程。

可是，两个人在店里已经待了整整一下午，如果每半小时需要吃一次药的话，至少也吃了五六次药，可杯子里的咖啡还是满满的，这说明杯子里面一定有问题。

186

兄弟被杀

一天清晨，保险公司总裁雄本一郎像往常一样在别墅的花园里散步，突然，他被一位蒙面刺客开枪打死了。

闻讯赶来的毛利小五郎侦探在死者的保险箱里发现了一些线索，便认为雄本一郎的死与两个兄弟及一个姻兄有关。于是毛利小五郎来到雄本一郎姻兄金田村刚的家里，着手调查。

毛利小五郎来到金田村刚家里时，金田村刚正在花园里锻炼。毛利小五郎对他说："金田村刚先生，刚才你的兄弟被人杀死了。"

金田村刚一听，惊恐地叫了起来："不可能！我昨天晚上还和雄本一郎在一起，才一个晚上就死了，太不可思议了！"

毛利小五郎认真地听他叙述完，把他从头到脚打量一番说："金田村刚先生，怎么不谈谈你自己的情况呢？你不是一直嫉妒雄本一郎有钱有权吗？"

金田村刚一听，脸涨得通红，生气地说："请你不要胡言，我不否认你刚才说的，但你也不能认定我是凶手呀！"

"别想得太天真了，最值得怀疑的不是别人，恰恰就是你！"

金田村刚极力掩饰，但仍掩盖不住自己内心的惊慌。果然，没过多久，毛利小五郎就在他家里搜出了凶器。

请问：毛利小五郎侦探是怎样识破金田村刚的伪装的呢？

● 答案见189页。

[A49]

玄机就在那件被狗咬碎的睡衣上。狗对气味非常敏感，在半夜里，它只能凭气味来判断谁是陌生人。"鉴赏家"正是利用了这点，在第一次去珠宝商家的时候，调换了自己和珠宝商的睡衣。

残留的蜡烛

Q51 布莱克探长到一个偏僻的小村子处理一个案件。村里有一对老姐妹，姐姐叫梅丽，妹妹叫丽曼，两人相依为命，靠开一家小店为生，稍微有一点儿积蓄。妹妹有一个儿子叫马可，由于丈夫不知去向，无人管教的马可长成了一个十足的无赖。

一天早上，邻居发现老姐妹家中遭到了抢劫。梅丽倒在窗前血泊中，已不省人事。丽曼躺在床上，由于被刀刺中要害，已死于非命。

警察发现在火炉中有一把菜刀，刀把已被炉火烧掉，查不到指纹。尽管这样，警察还是把疑点集中在了马可身上，因为他行为不端，并且在丽曼的床上发现了他掉下的一粒扣子。

探长得知后，在拘留所里讯问了马可。马可说，那天傍晚，他去了母亲那里，先吃了一只兔子，然后将一件掉了扣子的衣服交给母亲。母亲在缝衣服时，叫他打开抽屉，拿出一只皮包，让他清理皮包中的票证和现款。他办好这些事儿后就回家了。后来听说两个老人一死一伤，他也感到非常吃惊。

"你姨妈对你怎么样？当时她在干什么？"探长问。"她一直嫌弃我，当时她也在场，不断地用白眼看着我。"马可回答说。

探长来到了现场，看到梅丽浑身包着纱布躺在床上，僵直得像死人一般。那只旧皮包还在地上，上面明显地留着马可的指纹。里面的票证丢散在外，一些重要的借据和3万元钱现金已不见了。桌上有一支蜡烛，从残留的烛泪看，这支蜡烛昨晚曾使用过。

查看完了现场后，探长脑子里产生了很多疑问。如果马可是凶手的话，他烧掉刀把消除指纹，为什么皮包上的指纹不加以消除？再说，马可傍晚来时，还不需要照明，就是需要照明，屋里有灯也不需要点蜡烛。那么是谁点的蜡烛？为何要点蜡烛呢？

探长拿着那支蜡烛，顺着蜡烛流下的烛泪，他来到了连通房间的贮藏室。在那里的一只木桶上，探长发现了一滴烛泪。

这只木桶是一只空油桶，全密封的，只留下一个倒油的小洞。难道木桶中有什么奥秘？当他想到失落的3万元现金和部分重要借据时，就明白一切了。

于是探长断定凶手就是梅丽。你知道探长是怎样推理的吗？

握枪的左手

Q52 "我把来访的两位客人带进会客室时，他已经死了。"死者的妻子说。

死者是一位知名的画家，死因是被手枪子弹击中头部。当时，死者的左手握着一支手枪，外表看来，好像死于自杀。

M探长展开调查，询问所有与此案有关的人物。来访的两位客人中，一位叫龟七郎，他是死者妻子的旧恋人，3年前去了外国，两天前才返回此城。另外一位叫小田野夫，他也是一名画家，原先和死者并不认识。他最近经常到死者家中，因为他说死者盗用了他的作品，故前来追究。

两个人都有杀人动机。不过，死者也不是没有自杀的动机。死者的妻子曾向警方表示：两个月前，死者生过一场病，导致左手麻木，不能再拿起画笔，这使死者十分沮丧。

最后，M探长确定，两人之中，有一个人一定是凶手。

你能判断出谁是凶手吗？

[A50]

雄本一郎家里有兄弟3人，毛利小五郎到金田村刚家调查时，根本没有告诉他死者是谁，而金田村刚却一下子就说出死者是雄本一郎，这就说明金田村刚事先必定知道。毛利小五郎抓住这个破绽，从而打开缺口，认定金田村刚就是杀人凶手。

[A51]

马可虽然是个无赖，但在丽曼眼中，毕竟还是自己的亲生骨肉，在花钱和吃用方面尽量满足他。梅丽则不然，她对马可毫无感情，眼看家当要败在马可的手里，心中有说不出的怨恨。只有害死丽曼，再嫁祸于马可，才能保全她微薄的财产。

所以她杀死了丽曼，又刺伤了自己，但却没伤到要害。然后她又把菜刀烧掉。做完这一切后，她原本想到窗前呼救，但由于年老体衰，又由于过分激动，竟昏迷过去。

探长弄开了那只密封的木桶，木桶内藏着3万元现金和一些重要的借据，这些是从木桶的小孔里塞进去的，做这件事的显然是梅丽。

死神列车

情报局接到消息：4 个小时以前，敌军洗劫了一个军事基地，他们带走了所有 TNT 炸药，然后又劫持了一辆货运火车，并试图在首都将火车引爆。

情况十分危急，情报局当即决定，让火车在郊外爆炸。由本杰伦负责指挥行动，同时派出爆破队伍，在铁轨上铺设炸药，趁敌军控制的火车驶出隧道的刹那引爆炸药。

5 分钟后，本杰伦得到消息：列车时速 60 千米，正在逼近隧道。本杰伦马上计算了一下：隧道长 500 米，火车时速 60 千米，也就是说，火车进隧道后 30 秒驶出隧道。他把遥控定时装置设置为"30"，只要火车进隧道，就会触发装置计数，30 秒后炸药自动爆炸。然后，他率队退后，因为爆炸时掀起的巨大冲击波，可能会伤害到他们。

过了 3 分钟，列车轰隆隆地驶进隧道。爆炸装置和本杰伦手中的遥控装置开始同步计时。

30 秒后，高强度炸药在铁轨上准时爆炸。可是，他们期待中的整列火车都被引爆的场面并没有出现，火车在失去铁轨的路面上继续疯狂前行，在撞倒了大片的槐树后，终于在树林里停了下来。

紧接着，火车在树林里爆炸，爆炸引发的熊熊大火足足花了一个月才被扑灭。本杰伦回到情报局后，因为指挥失误而受到了处分。他怎么也想不通，为什么这么简单的数学题自己会算错。

那么，你知道本杰伦错在哪里吗？

[A52]

死者两个月前已因左手麻痹而不能拿起画笔，但现场所见，死者是用左手拿枪的，因此证明凶手是把他杀害后才把枪放在他手中。在两个人中，只有两天前从外国回来的龟七郎不知道死者的左手有毛病，所以龟七郎就是凶手。

珠宝商的损失

加伦的好朋友金生开了一家珠宝商店，珠宝的价格相当昂贵。这天，金生满脸忧郁地来探望波洛侦探和加伦医生，委屈地说出了自己被骗的经过。

"事情的经过是这样的：前天下午，一个穿着华丽的女士来买钻石戒指。她举止优雅，我丝毫没有怀疑。在试戴了几枚钻石戒指以后，她挑中了一枚漂亮的蓝钻戒指，标价 10 000 元，经过讨价还价后，我们以 8 000 元成交。接着，她递给我一张银行支票，上面有令人信服的签章，票面金额是 10 000 元。倒霉的是，我当时刚好没有零钱了，便拿着支票到隔壁的电器商行找卡特老板换了 10 000 元零钱。然后我找给顾客 2 000 元，又为她包装好钻石戒指，才礼貌地送走了她。谁知道，过了一会儿，卡特来找我，原来他正巧去银行兑付支票，银行告诉他，那张票面金额是 10 000 元的支票是假的！没办法，我只好收回支票，又赔偿了卡特 10 000 元。"

"这么复杂啊？难怪你弄不明白。让我想想，你的损失是这样的：价值 8 000 元的钻石戒指，赔偿卡特的 10 000 元，损失总共 18 000 元。"加伦说。

金生摇摇头说："还不止呢！我还找给那个顾客 2 000 元真币，这样算下来我的损失高达 20 000 元！可是，这个数字对吗？"

"当然不对了。"波洛说道，"你们都算错了，实际上损失没这么严重。"

你知道金生实际损失到底是多少吗？

[A53]

本杰伦错在没有考虑到火车本身的长度，30 秒是火车头进入隧道到驶出隧道的时间，但是车身还在隧道中，火车实际完全驶出隧道的时间为 45 秒。所以，炸药爆炸的时候只炸断了铁轨，对火车本身并没有造成太大影响。

机智的验关员

Q55 在海关，每天都有数不清的货物进进出出，需要检验的项目非常多。
一次，一个大胡子商人带着整整 10 个集装箱的货物前来报关，他把这些货物整齐地排列在海关大楼的货场里，工人们正在忙碌地操纵设备把集装箱装上货轮。

验关员仔细审核着这些材料，没有发现任何问题。直到翻开最后一页文件的时候，验关员忽然发现"物品重量"一栏有涂改的痕迹。验关员再次细心核对，这是一批型号、重量都完全一样的汽车轴承，没有道理出现事后更改重量的情况。

大胡子商人看到验关员注意到重量被更改过，慌张地解释道："这个地方是有点儿小修改，麻烦您就高抬贵手，放过这批货吧！"

验关员不动声色地说："现在，就让我们去查一查你的货物吧！"

大胡子商人见验关员毫不让步，不由得恼羞成怒，他说道："我干脆直接告诉你，这 10 箱货里有一箱轴承是特种轴承，就看你有没有本事查得出来！10 点以后，装运的货轮就要出港，现在称量无论如何都来不及了，你以为打开 10 个集装箱，把轴承一个一个比较起来是很容易的事情吗？你至少需要称 9 次！"

验关员笑了起来，说道："我想你还是补缴关税比较好，因为找出特种轴承根本不需要称 10 次，只需要称一次就够了！"

假设标准轴承的重量是 100 克，而特种轴承比标准轴承重 10 克，你知道这个聪明的验关员是怎么称一次就找出特种轴承的吗？

[A54] 实际的损失是 10 000 元

我们这样来算：从卡特那里换钱回来，金生找了 2 000 元给顾客以后，自己那里还有 8 000 元真币，他再加 2 000 元就可以和卡特结清，加上戒指价值的 8 000 元，金生在这笔交易中共损失了 10 000 元。

半壶凉茶

Q56 一个夜晚，警察局接到报案，一个公司的总裁在家里中毒身亡了。
警长立即赶到现场。据经理秘书讲，被害者3小时前出席了一个宴会，因为多喝了几杯酒，秘书将他送回家。当时总裁的家人都不在家，秘书就留下来照顾他。

秘书说，因为总裁喝多了，为了给他醒酒，秘书为总裁沏了一壶茶。安顿好后，秘书就回公司处理事务了。当他再次来看总裁时，发现总裁已中毒身亡。

警长又转身向先来的警察和法医询问，据他们讲，整个房间除了死者和秘书外，没有第三者来过。壶中的茶水试过喂狗，但狗没有中毒。初步怀疑是在宴会上吃了有毒食物，现在正在进行调查。

警长来到桌边把那只茶壶揭开看了看，发现里面有半壶茶水，上面漂浮着一些茶叶。警长把壶盖好，转身问跟在身边的警员说："茶壶上的指纹取过了吗？"

"取过了，只有总裁和秘书的指纹。"

"这么说，凶手就是秘书了！"警长斩钉截铁地说。

请问：警长是如何得出这一结论的呢？

[A55]

把每个箱子编上号，从第1个箱子中取出1个轴承，从第2个箱子中取出2个，从第3个箱子中取出3个……以此类推，从第10个箱子中取出10个。

把这些轴承称一称，它们的标准重量是5 500克。如果是第1个箱子的轴承超重，结果就应该是5 510克，如果是第2个箱子的轴承超重，结果就应该是5 520克，以此类推。验关员就可以靠这种方式筛选出特种轴承。

秋千的“妙用”

 一天清晨，麦克给一位名叫史密斯的青年送包裹。史密斯是刚搬到这个小村来的。麦克在老屋门前高喊了几声，又连连敲门，屋内竟毫无动静。“也许是出门散步去了吧。”麦克这么想着，就到小屋后面的田野里去找。

到那里一看，不好，史密斯倒在了田地里。

一名警察刚好路过这里，麦克连忙向警察报案。警察仔细地看了看尸体周围，没有发现一个脚印。

“怎么连史密斯的脚印也没有呢？昨晚刚下过雨，田头是湿的，土是软的，只要有人走，就会留下脚印呀！”麦克不解地说。

“看来，是这场雨把史密斯的脚印给冲掉了。”

“不，要是那样的话，史密斯的尸体也淋过雨，也应该是湿的，可是他的衣服是干燥的。”

“也许是因为过了一夜，被风吹干了。”

“不可能，他的伤口上还有血凝结。要是给雨淋过，血迹早就应该冲掉了。”

“说来说去，史密斯可能是雨停之后才被杀的，而且这边并不是第一现场。”

警察仔细地观察四周，注意到史密斯身后 4 米处是个荒废的老屋。于是他踮起脚，朝房屋的那一边看去，只见那是个很荒凉的院落，在一棵大榆树上挂着一个秋千，四周是光秃秃的红土层。警察点了点头说：“我知道是怎么回事了。”

那么究竟是怎么回事呢？

[A56]

按秘书讲，这壶茶已经沏过两个多小时了，那么在壶中就不可能有漂浮在水上的茶叶。由此可断定，一定是有人将有毒的茶水倒掉，然后放上半壶凉水，再洒上茶叶冒充未喝完的凉茶。能做这番手脚的，只有秘书一个人。

纵火者的谎言

Q58 基正大街和其他地方一样，有宽敞的柏油马路，各种各样的商店。唯一不同的是，基正大街从 001 号到 700 号房屋全是精致的木质房屋。住在 322 号房屋的吉姆生先生很满意自己的住所。

这天夜里，吉姆生先生被爱犬的狂吠声惊醒。他睁眼一看，只见火苗正从屋子的各个角落蹿出来，滚滚浓烟熏得人睁不开眼。吉姆生吓得光着脚抱起爱犬夺门而出。

火虽然被扑灭了，但在这场可怕的大火中，有 20 幢房屋被烧毁，30 多幢房屋遭到严重毁坏。警察调查发现，大火是从吉姆生先生的邻居，住在 321 号的德雅丽女士家里开始的，由于现场已经完全毁坏，起火的原因无法查明。好不容易逃了出来的德雅丽女士听到丈夫和孩子没能从火海中生还的消息后，悲痛得昏了过去。

过了一会儿，德雅丽女士精神状态好了一点儿，警察开始向她询问起火的原因。

德雅丽说："我们昨晚参加一个朋友的派对，一直到深夜才回家。回来以后，我丈夫和孩子都说很饿，我就去给他们煎牛排。牛排快煎好的时候，我忽然听到孩子大哭起来，于是我赶忙放下牛排跑到客厅里，原来孩子的手掌被玻璃划破了。我丈夫这时也跑了过来，他把孩子带到浴室进行清洗和包扎，而我返回厨房。没想到，我出去的时候忘记关闭煤气灶，火焰已经在锅里烧了起来！"

"只是在锅里烧？那很容易扑灭啊。"警察说道。

德雅丽痛苦地捂住脸说道："这时我犯了个不可饶恕的错误！我当时完全慌了，随便提起一个桶就朝油锅浇去，谁知道，桶里面也是油！整个厨房一下子就着火了，我甚至都来不及通知丈夫和孩子……"

警察停下记录，和吉姆生对视了一下，缓缓说道："德雅丽女士，你因为涉嫌纵火被捕了！"

你知道德雅丽的叙述中哪里有破绽吗？

[A57]

凶手把史密斯杀死后，把他搬到秋千上，用力甩到了田地里，所以田地四周没有任何脚印。

巧开保险箱

Q59 杰姆斯是出了名的开锁大盗，不过最近他已经改邪归正，做起了老实的买卖。这天，詹姆探长找到他，请他去开锁。杰姆斯摇头拒绝。

詹姆笑着说："不是让你继续做大盗。事情是这样的：皇室定做了3个用来放机密文件的保险箱。做保险箱的人夸口说，只要有谁在半小时内打开这3个保险箱，就付给他3万英镑。刚好，出来就碰上你了，这方面你是老手啦，3万英镑的酬金可不少哦！"

想到那3万英镑，杰姆斯有些动心了，他对自己的开锁技艺绝对有自信。出道以来，他还没有碰到过10分钟之内打不开的保险箱。于是，他和詹姆探长一起来到了警察局。

3个用特种钢材铸造的、闪烁着金属光泽的保险箱整齐地排列在警察局的办公室中央。精密的锁加上智能密码，看起来完全没有破绽。

杰姆斯在壁炉旁暖了暖手，立刻开始动手，厂商代表则用一只有机玻璃沙漏开始计时。杰姆斯在开第一个保险箱时遇到了麻烦，他足足花了15分钟，尝试了20种不同的方法，直到使用了第21种方法后才把保险箱打开。由于有了经验，第二个箱子只花去他7分钟。这时，厂商代表示意他暂停。

"我请你停下的原因，是想告诉你酬金就在第三个保险箱里。"厂商代表阴阳怪气地说，"现在，开始最后一次冲击吧，你还剩下8分钟。"接着，他把沙漏挪到了壁炉旁边，开始重新计时。

杰姆斯有了刚才两次的经验，对这种保险箱已经了如指掌。他顺利地解开密码，打开了第三个保险箱，看到了厚厚的钞票。这时，厂商代表说他超时了。杰姆斯回头一看，沙漏的刻度上显示为9分钟！他完全不敢相信自己的眼睛！

忽然，杰姆斯灵机一动，明白了沙漏走快的原因。他大声对厂商代表说："我已经知道是你动手脚了，酬金还是我的！"厂商代表听完杰姆斯的分析，顿时面如土色，只好把酬金付给杰姆斯。

你知道厂商代表动了什么手脚吗？

● 答案见198页。

[A58]

水的密度比油的密度大，因此如果是油着火的时候用水去浇，反而达不到灭火的效果。而在锅里油着火的时候迅速倒上一桶油，正在着火的油会因为温度降低，达不到油的燃点，慢慢停止燃烧。德雅丽说倒上油导致整个厨房都着火，显然是在说谎，因此断定她就是纵火犯。

冰雪疑凶

 每年冬天，都有许多游客喜欢到滑雪场上尽情运动。福尔摩斯和华生也来到滑雪场附近的朋友家里，准备在这里度过一个惬意的冬天。

这天，福尔摩斯和华生到屋外散步，当他们转过一片小树丛的时候，忽然从树丛后面跳出来一个全身湿漉漉的黑衣男人。他看到福尔摩斯和华生后，立刻大叫起来："来人呀，有人落水了，快来帮忙救人呀！"华生连忙跑过去，热心地问："谁落水了？在哪里？"

那个男人抓住华生的手说："我和朋友出来散步，我们从结冰的湖面上走过时，一块薄冰突然裂开，我的朋友掉了下去。天啊！我没有拉住他，随后我也跳下水去，但我没有找到他在哪里，只好跑来找人帮忙。"

福尔摩斯和华生二话不说，立刻和那个男人一起向湖边跑去。他们穿过树丛，越过土丘，然后在冰面上艰难地行走。看到那个男人的衣服都快结冰了，福尔摩斯连忙把自己的大衣脱下来给他穿上。

半小时以后，他们终于到达了事故发生的地方。由于下大雪，破裂的冰层已经结了一层薄冰，经过了这么长时间，看来失足落水的人已经没有生还的希望了。

"杰克，我来晚了！"那个男人扑倒在地，伤心地大哭起来。福尔摩斯拉住他说："算了吧，别再装了！你虽然精心策划，但还是留下了破绽。"

华生有些不解地问道："死者还没打捞上来，冰层破裂不像人工切割的样子，你怎么判断他的朋友是被他害死的呢？"

福尔摩斯微笑着说："不错，冰层的确是自然破裂的，但这并不能说明他的朋友是失足掉下去的。根据我的判断，很有可能是被他杀害以后，扔到水里的！"

你知道福尔摩斯怎么识破了杀人犯的诡计吗？黑衣男人在哪里露出了马脚？

凶手的错误

 某夜，在我国 M 市的江边上发生了一起凶杀案。警方在当地群众的帮助下，很快抓到了一名嫌疑犯。

"昨天晚上 10 点左右，你在哪里？"警察问。

"昨晚我整夜都在江上钓鱼。"犯人故作轻松地回答。

"有人证吗？"警察问。

"没有，我的钓具可以证明吗？"嫌疑犯天真地问。

"你在哪岸垂钓？"警察又问道。

"南岸。"罪犯说，"昨晚的月亮很大，映在江面上圆圆的，美丽极了。"

"是吗？"警察用嘲讽的语调说，"昨夜确实是满月，而且天气也很好，月亮在晚上 7 点就出来了，一直到凌晨 4 点才落下。不过这些不能证明你昨晚 10 点不在案发现场吧。快交代吧，你刚才在说谎。"

警察为什么这样说？

....

[A59]

狡猾的厂商代表利用了热胀冷缩的原理，使沙漏里的沙子漏得更快。沙漏被放到壁炉旁边以后，受热膨胀，虽然只是微小的变化，但足以让通过小孔的沙子速度加快，从而加快了计时的时间。因此，杰姆斯实际用的时间远远小于 9 分钟，他应当得到酬金。

[A60]

其实，判断的依据非常简单：男人出现在福尔摩斯眼前的时候浑身是湿漉漉的，而事发地点距离他出现的地方有半小时路程，如果他真是跑出来求救的话，身上应该有结冰的地方才对。因此，可以判断出他的朋友是被他推下去的，或者在别处杀害以后再推下去的，而他自己则是在某个地方弄湿衣服后才出来呼救的。

沉重的木箱

宋朝时，梁山脚下有个临山客栈，生意特别好。一天傍晚，一个四十多岁的烟贩子住进了客栈的一间小屋，小屋对面住着几个带着箱子的大汉和两个木匠。

烟贩子睡到半夜，忽然听到对面屋里传来一阵哭声和哀求声："大爷，饶了我们吧。"烟贩子一下子爬了起来，侧耳静听，只听一个恶狠狠的声音说："不行，不能留下活口。"

烟贩子吓得全身冒汗，他顿时明白，对面屋里的大汉是强盗，被杀的一定是那两个木匠了。他急忙跑去和店主商量。

店主听后，心想：此时深更半夜，这伙强盗万一冲出去，就不好找了，不如等到天亮再说。于是店主就对伙计们说："先别惊动这些人，明天我在院门口收房钱，如果出去的人少了，你们立刻出来抓住他们。"并且一再嘱咐伙计们说："那伙人是 6 个人，加上两个木匠一共是 8 个人。"

第二天一早，店主人坐在院门口，眼睛盯着那间屋子。一会儿，房门打开，那群人收拾好行李，抬着箱子，从屋里走了出来。吩咐店主人算账。

店主人看看这些人，默默地一数，正好 6 个。店主人问道："屋里还有人吗？"一个大汉说："有呀，还有两个木匠！"话音未落，两个木匠拿着工具，背着布包，走了出来。

店主人糊涂了，回头看看身后的烟贩子，烟贩子也很纳闷：自己昨天夜里听得清清楚楚，两个木匠被杀了，怎么今天又冒出来了呢？

你知道这是怎么回事吗？

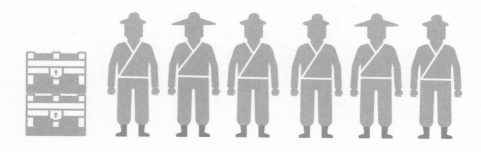

[A61]

这个愚蠢的凶手说自己在南岸垂钓，还看到了江面上的月影。凶手犯了一个常识性的错误。南岸垂钓，必定面朝北方。在北半球，由于地球的自转，月亮和太阳都是由东向西穿过南方的天空。因此面向北方的钓鱼人根本看不到江面的月影。所以警察据此判断凶手在说谎。

祝枝山捉贼

Q63 祝枝山是明代著名的四大才子之一，他有一颗很珍贵的夜明珠。

一天黄昏，夜明珠被盗，而能进入屋子盗取夜明珠的没有外人。于是，祝枝山把全体仆人叫到祠堂，祠堂里黑乎乎的，隐约可见供桌前面凳子上有一个钵子。

祝枝山说："大家知道我有一颗夜明珠，却不知道我还有一个护宝的法器——察心钵。没有做亏心事的人摸了它，会觉得沁凉润指；做贼的人摸了它，会立即被它粘住，并且大叫起来。"

于是，祝枝山叫大家依次走过去摸这只钵，可直到最后一个人摸过了，也没有人发出声来。

祝枝山吩咐把灯烛点亮后，略一巡视，突然用手一指，厉声喝道："你就是贼！"于是命人把那人抓了起来。经审问，果然是那人偷走了夜明珠。

请问：祝枝山是根据什么作出判断的呢？

[A62]

原来，这伙强盗进来时就 8 个人，他们先将两个人装进木箱，抬进客栈。等杀了木匠，便让来时躲在箱子里的两个人穿上木匠的衣服，再将尸体装进木箱里，造成 8 个人进店、8 个人出店的假象。

枪柄杀人案

 早晨，送早餐的女仆发现，议员查理士先生的妻子梦露沙夫人被杀害了。梦露沙夫人身穿睡衣，倒在卧室地板上，头部血肉模糊，已经没有了呼吸。

女仆吓得当场就晕了过去，管家随即报了警。因为涉及议员，所以当地警方非常重视，他们派出了最精干的警探，还特地邀请马可侦探前来协助调查。

马可到达现场的时候，初步调查已经告一段落。经法医确认，梦露沙夫人是被钝器狠狠敲击后脑，导致颅脑损伤而死的，死亡时间大约是晚上 11 点到 12 点之间。

凶手没有在现场留下任何痕迹，没有指纹，没有脚印，没有目击者，好像是一起古堡幽灵式的恐怖事件，而不是某个人精心策划的谋杀案件。

马可仔细检查了现场，发现在床下有一把手枪，经过检验，手枪枪柄上有受害者的血迹，看来它就是杀死梦露沙夫人的凶器。可是，现在事情越发变得奇怪：既然凶手有手枪，又为什么要把它拿来当锤子用呢？这是完全没有道理的。

"天哪，我亲爱的梦露沙！"刚从外面回来的查理士先生一脸悲伤。他告诉马可，他昨天整夜都在伦敦参加一个讨论会。接着他紧紧拉住马可的手说："我愿意悬赏 10 万英镑抓住那个砸死我妻子的残忍凶手，请您一定帮我！"

马可安慰了查理士，然后和警探们开始讨论案情。由于线索太少，能够圈出的嫌疑人仅限于仆人和管家，但都一一排除掉了。最后，大家全用期待的眼光看着马可，等待这位大侦探发表评论。

马可反复思考关于手枪的问题：为什么一个凶手有手枪不用，要把手枪当锤子来用呢？这不是非常愚蠢吗？那这究竟是为什么呢？

马可忽然想到了什么，他大声对警员们说："我知道了！"

请问：你知道这是怎么回事吗？

[A63]

祝枝山在钵上做了手脚，涂抹了一层不易擦掉的物质，凡是摸过钵的人，两手应该都有这种物质。偷夜明珠的人因为心虚，不敢摸钵，两手是干净的。

4 千米差距

Q65 一位农民路过一个池塘时，发现池塘里漂着一具尸体，他立即向警方报了案。在池塘旁的泥地上，警方发现了汽车的痕迹。很显然，尸体是被人从别处运来的。

根据车痕，警方很快查到，车子是属于离该地 10 千米的一家车辆出租公司的。车辆出租公司的人翻查记录，证实是一个叫山野的男子租了这部车。警方马上找到山野，但山野说他的车子只走了 16 千米，但从出租公司到池塘只有 10 千米，来回一趟汽车要走 20 千米，所以他根本就不可能是凶手。

后经调查，发现这部车按里程表的读数计算确实只走了 16 千米。山野明明是杀人凶手，可他用了什么诡计，改变了里程表的数字呢？

你知道这是怎么回事吗？

[A64]

凶手害怕弄出声响被人发现，甚至不惜把手枪当锤子用，这说明他一定是梦露沙夫人熟识的人。从梦露沙夫人的装扮也可以看出，能穿睡衣会见的客人并不多，仆人没有报告有客人到访，说明凶手可以自由出入。最后，查理士先生一进门，就宣布悬赏捉拿砸死梦露沙夫人的凶手，可是当时他对案情还一无所知，这样快速地表态，说明即使他不是凶手，也一定是知情者。

男爵之死

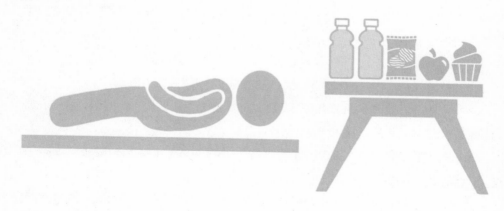

Q66 一名英国男爵特别喜爱印度的瑜伽术，为此，他买下一所练身房，经常和4个印度人一起在里面练习瑜伽。出人意料的是，有一天男爵被发现死在练身房里。

事情是这样的：两星期前，男爵单独进入练身房作瑜伽修行，为了不受外界干扰，他把门窗都从里面上了锁。由于瑜伽修行需要好几天时间，所以事先在练身房内准备了充足的食物和水。

但是，两星期后，他仍未出现，4个印度人向警方报案。警察赶来，撬开紧锁的门，才发现男爵已直挺挺地死在床上。旁边准备好的食物和水几乎都没动过。

练身房的门窗从里面上了锁，任何人都无法进去。天花板离地有15米高，床的正上方有一个方形的采光窗，窗上有铁栏杆，所以外面的人即使把窗上的玻璃卸下来，人也不可能钻进去。可以说，这间练身房几乎是一间与外界隔绝的密室。

那么，男爵为什么会死呢？于是大家请来了一位名侦探。名侦探立即前往练身房作现场调查，结果发现，男爵躺着的那张床在近期内有被移动过的痕迹。

当侦探了解了男爵有恐高症后，他对警察说，这4个印度人便是杀人凶手。请问：这是为什么呢？

➲ 答案见205页。

[A65]

山野开的车用的是老式机械里程表，这种里程表根据后轮或前轮（看汽车由哪个轮驱动）的转动次数来计算里程的。汽车向前行使时，里程表显示前进的里程，向后行驶时，里程表会倒过来走。山野当然不可能将汽车倒行4千米，但他可以利用汽车泵把汽车的后轮抬起（假设车子是由后轮驱动的），把车轮向反方向逆转，于是改变了里程表的读数。

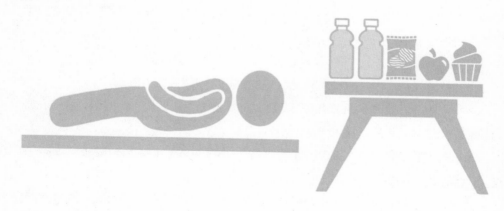

203

说谎者

 莱克探长正在吃饭，突然，电话铃响了。莱克探长接完电话对家人说："唐人街的点心店被抢了，我要赶到现场去。"

探长一边收拾东西，一边接着说："有人正好看见哈波特从店里跑出来。"

"哈波特不是关在监狱吗？"探长太太说。

"是的，不过，他判了5年徒刑，刚被放了出来，目击者只是说看了他一眼，也有可能看错了，我得问问哈波特本人去。"

警车在城西角的公路上停了下来，探长看见院子里停放着一辆黄色的轿车，一个高个子青年站在大门口，怀里抱着一个1岁半左右的赤脚小男孩。

探长大声命令："哈波特，把孩子放下，举起手来！"

哈波特把光脚的小男孩放在黄色轿车的挡泥板上，然后举起手问道："探长先生，这是为什么？"

"唐人街的点心店被抢了，1小时前有人看见你从那家店里跑出来。"

哈波特听了哈哈大笑："1小时前我根本不可能在唐人街，我一整天都……"哈波特刚说到这儿，探长突然大叫一声："危险！"一个箭步冲到小男孩跟前。原来小男孩不知什么时候爬到汽车引擎罩上去玩，不小心滚到引擎罩边缘，眼看就要掉下来了。探长冲过去抱住了小男孩。

"啊，谢谢你，探长先生，"哈波特说，"这是我的侄子。"

探长接着问："你要如实告诉我今天你在哪里。"

"我今天一早就开车到远离本市几百里的海滨去了，要说1小时前，我还在路上拼命赶路呢，您这会儿来，我才到家5分钟。"

探长看了看手表："这么说，你用了12个小时开车跑了将近1 000公里的路程。不过，6点前后，你遇到过谁没有？"

"我6点左右加过油，买了个汉堡包，然后我就直接回家了，点心店的抢劫案和我一点关系都没有。"

"你说的都是实话吗？"

"句句属实，坏事我早就不干了。"但探长马上指出他是在说谎。

请问：你知道哈波特哪里露出破绽了吗？

几颗樟脑丸

Q68 一天，一名青年男子来到公安局报案。青年男子一脸沮丧地说，他是一个公司的业务员，被派往南方开拓业务，已经有两三年没回来了。前天，他请假回来了一趟。一进家门，就发现家里被盗了。

听完他的叙述后，警员按照常规到现场进行查看，提取了壁橱上的指纹和地板灰尘上的脚印。女警员熊丽翻了翻衣柜中的衣物，突然发现里面有几颗樟脑丸。她不动声色地拿出一个看了看，又放了回去。

然后，她转过身来对青年男子说："你这么年轻，何必耍这种把戏呢？骗取保险金这样的做法已经不是什么新鲜事了。"青年男子立刻低下了头。

请问：熊丽怎么发现青年男子报的是假案呢？

[A66]

夜里，4个印度人趁男爵在床上熟睡之际，爬上练身房的屋顶，卸下采光窗的玻璃，从铁栏杆之间放下四根末端系着钩子的绳子，分别钩住床的四只脚，然后把床连同睡在床上的男爵高高吊起。男爵有恐高症，被吊起来后受惊吓而死。

[A67]

哈波特说他今天开了这辆黄色的轿车12个小时，如果真是这样，汽车引擎罩就应该是非常烫的。而小男孩光着脚在上面爬来爬去，说明车的引擎罩是冷的。这样可以肯定哈波特在说谎。

隐形谋杀

Q69 雨后的早晨，家具大亨杰生像往常一样到花园里散步。在进花园前，他告诉管家自己要思考一些生意上的事情，不要让别人打扰他。

转眼已经是中午时分，杰生还没有出来。管家觉得有点儿不对劲，叫上佣人到花园里查看。他们惊讶地发现，杰生已经死了！他倒在花园中央的草坪上，鲜血浸透了身边的草地，脸上的神情甚是惊恐。

"天啊！老爷这是怎么啦？"佣人惊慌得大叫起来，想跑过去查看，但管家一把拉住了他。

"我们应当保护现场，先报警吧！"管家说道。

警察们仔细查看，发现杰生已经死去两三个小时了，一把长刀横穿他的胸部。而雨后松软的草丛里竟然只有杰生自己的脚印！也就是说，可以肯定，在这段时间里，只有杰生一个人来过草坪。

"我觉得是自杀。"一个警察认真思考后说道，"如果是他杀的话，除非这个世界有鬼。因为杰生倒下的地方距离草丛边缘有5米左右，如果凶手把长刀绑在5米长的棍棒上，那么他的行动就会因此变得十分迟缓，杰生可以轻松地避开。"

管家点头同意了警察的分析，他说道："老爷最近在生意上确实不大顺利，老是心事重重的。可是，这已经不是他第一次面对困境，我们都认为他完全可以渡过难关，谁知道，他会选择这种方式……"

这时候，福尔摩斯也赶到了。他查看了警察的记录，又仔细看了看那把刀。这是一把标准的日本武士刀，狭长的刀身没有任何弧度，刀刃锋利。突然，福尔摩斯注意到刀柄上的护手不见了，刀柄的末端有一个小小的凹槽，他马上询问道："这段时间，草坪附近还有其他人吗？"

"只有这名管家。"疑惑不解的警察回答，"可这关管家什么事呢？"

福尔摩斯站起身，大声说："管家就是凶手！"

你知道福尔摩斯是如何推测的吗？而管家又是如何行凶的呢？

[A68]

樟脑丸是很容易挥发的东西，一般一年左右就挥发完了。而青年男子却说两三年没回来了。这说明他在撒谎。

鸵鸟血案

Q70 W国为了庆祝建国 50 周年，举行了一系列盛大的庆典。除了鲜花、彩车、巡游外，该国动物园还特地从非洲订购了一批珍稀动物，免费向公众巡展一星期。

这次从非洲运来的动物中，不仅有鸵鸟、大象、狮子这些大家都熟悉的动物，还有白犀牛、山地大猩猩等难得一见的珍稀动物。每天赶来参观的人络绎不绝，动物园里出现了从来没有过的热闹场面。

今天是最后一天免费开放日，当动物园的大铁门打开后，排在最前面的孩子们便欢快地叫了起来，一窝蜂地朝前冲过去。

突然，从人群中传来孩子惊恐的尖叫声，大人们连忙跑上来一看，也吓了一跳，只见两只新运来的鸵鸟倒在血泊之中，更可恨的是，凶手残忍地剖开了鸵鸟的肚子。

警察在第一时间赶到了现场，经过仔细检查，他们在一个不起眼的地方发现了被锯断的铁栏，在地上还找到了麻醉枪的弹壳。凶手显然早有准备，先锯断栏杆，再用麻醉枪制伏鸵鸟，迅速作案并离开，没有留下任何指纹。

警察局长一边查看现场，一边忍不住咒骂："该死的凶手！为什么用这样残忍的手段来对待两只鸵鸟？"

一同赶来的华生点头说道："不错，你说到了点子上。凶手为什么这么做呢？"

警察局长愣了一下说："不知道。也许凶手是心理变态吧？"

华生摇头说道："显然不是，凶手的目的并不是杀死鸵鸟，因为他使用了很专业的麻醉枪，他的目的是剖开鸵鸟的肚子！"

警察局长有点糊涂了："可是他为什么要这么做呢？你的意思是，这是一桩悬案？"

华生笑笑说："不，凶手已经找到了，很可能就是运送动物的公司，这应该是一桩走私案。"

警察局长更迷惑了。你能为他解开心中的谜团吗？

➲ 答案见 209 页。

[A69]

其实，一把没有弧度的长刀去掉了护手，马上就变成了一支锋利的长箭。我们知道，箭都呈流线型，这是因为中间的任何凸起都会影响到飞行的速度和方向。

现在，答案就很简单了：凶手成功地利用了湿润的泥土转移了人们的视线，给警察造成了案发现场没有人的假象，然后运用古老的弓箭原理，把长刀当作长箭来使用，射杀了杰生。这也是为什么刀柄底部有一道小小凹槽的原因，这是弓弦的固定槽。管家在附近，所以他有很大的作案嫌疑，况且在发现杰生被杀后，管家还有意"保护现场"，就是为了制造杰生自杀的假象。

证据的反面

Q71 某城市郊外有一所专门关押死刑犯的监狱,关押在这里的犯人一般都是亡命之徒。这天,波洛来到监狱看望当监狱长的好朋友加森。当他经过阴森狭长的走廊时,忽然听到有人在叫嚷,说自己是被冤枉的。顺着声音,波洛发现了一个相貌清秀、眼睛布满血丝的金发青年,正拼命捶打着牢门。

加森告诉他,这个人名叫吉恩,杀了两名在森林公园里巡逻的警察,结果被捉住了,判了死刑,再过一个星期就要执行了。

波洛质疑道:"可是他说他是无辜的,看上去他也不像杀人犯。"

加森笑了笑说:"这里的人有一半说自己是无辜的,有四分之一的人看上去不像小说里的标准坏蛋。"

但波洛还是觉得有点不对,他提出,应该仔细核对一下吉恩的卷宗,加森拗不过,只好把吉恩的卷宗拿来给他看。

根据卷宗的记载,3个月前,森林公园里发生了一起惨案。在一个雨夜,两名巡警被人袭击,他们的尸体在第二天才被发现,当时已经天晴了。大雨清洗了凶手留下的所有证据,警方在现场只找到一个陷在泥土里的鞋印。

警方立刻搜查了整个森林公园,在1平方千米以内,只有吉恩一个人声称自己是被大雨困住了。警方马上把吉恩的鞋子和取得的鞋印石膏模型进行对比,发现完全吻合。虽然这种款式的鞋子有很多人穿,但是大小完全相同、又同时出现在犯罪现场的可能性非常小。因此,吉恩被逮捕了,法院判他死刑。

加森看完以后,理直气壮地说:"事情很清楚,现场只有他一个人,鞋印又完全吻合,他也没有不在场证据,这个案件没什么疑问。"

波洛气愤地站起来说道:"这些糊涂警察!难道他们没有一点常识吗?他们的关键证据——鞋印,恰恰能证明吉恩是清白的!"

请问:为什么鞋印能证明吉恩的清白呢?

告密的窗户

 冬日的一天，英国人米歇尔要到法国一个亲戚家去作客。临走的时候，他请邻居照看一下他的房子，因为这附近不太平，经常有盗窃案发生。

半个月后，米歇尔回来了，他刚刚走上台阶，当初答应帮他看家的邻居兰克急匆匆地跑来跟他说："你家被盗了。"米歇尔大吃一惊，赶紧把门打开，只见里面被翻得乱七八糟的。

"你是怎么发现有盗贼来过了？"

兰克的样子好像很内疚，他用手比画着说："那天晚上，我听见屋里有动静，便想起你的嘱托，于是就冒着寒冷的风雪跑到你家门口，透过窗户看了看。你知道，因为天气很冷，上面都结冰了，我使劲哈了一口气，擦了一小块窗户玻璃才看到里面，结果就是现在这个样子了。"

米歇尔听完之后，想了想说："兰克，你别骗我了，在我带你到警察局去之前，你还是把偷的东西都还回来吧。"

米歇尔这样说的理由是什么？

[A70]

鸵鸟没有牙齿，但却拥有不同寻常的胃。它能吞食大量小石子，用胃里的小石子来弄碎食物帮助自己消化，这种小石子不会被排泄出来，会一直留在胃里。因此，犯罪分子觉得这是从南非走私钻石的好机会，他们让鸵鸟吞食了大量钻石，等回到国内，再想办法杀死鸵鸟，取走钻石。

[A71]

天晴的时候，阳光直接照射到土壤上，在让泥土变干的同时，也会让留在泥土上的鞋印收缩，因此，如果鞋印模型和吉恩的鞋子完全吻合的话，只能说明吉恩是清白的，凶手应该穿比吉恩略大的鞋子。

运动的墓碑

Q73 一天，侦探波洛在家正闲得无聊时，一位太太上门拜访，给他讲了一件不可思议的事儿。太太说："3年前，我丈夫去世了，我为他修了一座墓。前几天，我去扫墓时，发现了一件奇怪的事儿。"说完，她从手提包里取出一张照片递给波洛。照片上是一座很有特色的墓碑：在一块大基石的上面托放着一个大理石球。

"圆球形的石碑我还是头一次见到。"波洛忍不住发表见解。

太太解释说："是很特别。因为我丈夫是个高尔夫球迷，这座碑是根据他的遗嘱立的。这张照片就是建成时拍摄的，球形碑的正面刻着十字架。现在，那块球形石碑已经向前转动了，十字架已经转到下面不见了。"

波洛对这个奇怪的现象很感兴趣，立即要求那位太太带他去看那座石碑。

墓地建在一座小山丘上，由两部分组成。下面是一个四方形的台石，看起来很沉重。台石上有一个直径100厘米的用大理石做成的石球。为了不使石球滑落，台面上凿了一个浅浅的坑，石球正好嵌在坑里面。

据那位太太说，石球上面的十字架差不多全隐没在坑里面了。浅坑里积了少量的水，周围长满了青苔。如果是人力所为，那在墓地和苔藓上势必会留下痕迹，而且这个石球这么大，一两个人根本推不动。

"会不会是地震的缘故？"波洛问。

"开始我也这么想，可我问过附近的人，都说最近几年从来都没有发生过地震。所以，我想一定是亡夫在显灵。"太太说。

波洛摸了一下浅坑里的积水，沉思了片刻后说："太太，石球的移动与你丈夫的灵魂没有任何的关系。"

你知道这是怎么一回事吗？

◐ 答案见212页。

[A72]

这是一道常识题。因为冬天天气再怎么冷，窗户外面都不会结冰，顶多有一层霜而已。这说明兰克在说谎。他这样做，无非是想误导米歇尔。

网球场上的脚印

Q74 星期二晚上，芭蕾舞蹈家尼斯和妻子正在看电视。突然，电视里播出了一则新闻：银行家洛依特的夫人被杀了。本来这样的新闻并不新鲜，但电视里说嫌疑犯是个叫安娜·霍普森的女人。这点引起了尼斯的注意，因为安娜是他的同事。

新闻是这样介绍的：

上个星期日的早晨，在富商洛依特别墅的网球场上，发现了洛依特夫人的尸体。她的心脏被射入了一颗子弹。从伤口外观上看，凶手是近距离射击，离死者不到1米。死亡的时间在星期六晚上8点左右。那个网球场，因星期六早上下了雨，地面又湿又滑，所以现场留下的高跟鞋印清晰可见。奇怪的是，进入现场的高跟鞋印却只有洛依特夫人一个人的，离开现场的高跟鞋印也是一个人的。而这两种脚印差不多。从现场勘察看，死者是他杀，凶手制造了死者自杀的假象。

目前，警方已经把安娜·霍普森监视起来了。因为据洛依特夫人的女仆说，当天晚上夫人与安娜小姐约定8点在网球场见面，这是她亲耳听到女主人在电话里对安娜小姐说的。但安娜·霍普森对此予以否认。

尼斯看完这段新闻后说："我觉得安娜就是凶手，和她共事这么多年，我了解她很可能做出这种事来。"

尼斯的妻子说："可是现场怎么只有一个人的脚印呢？从现场勘察看，没有安娜走进网球场的脚印，这怎么解释？"

听到这儿，尼斯也无语了。

第二天晚上，尼斯从芭蕾舞团回到家，兴冲冲地跟妻子说："我知道安娜是怎样走进网球场的了！"

那么，你知道这是怎么回事吗？

赝品的秘密

Q75 一天，公安局刑侦科小王和小李去古玩市场蹲点。因为不久前在市文物馆丢失了一件珍贵的唐代瓷器。盗贼很可能把它拿到古玩市场卖掉。

小王和小李假扮成生意人到处询问有没有唐代瓷器出售。在一个古玩商铺里，经老板神秘介绍，他们发现了一个与丢失的文物非常相似的唐代瓷器。就在小李激动地要把瓷器带回去的时候，小王把瓷器翻了过来，看到底部有一行小字："公元八百二十年制"，他上前一把抓住老板的脖领说："这瓷器是赝品，你是从哪里得到的？"

小王怎么看出来瓷器是赝品的呢？

公元八百二十年制

[A73]

答案当然不是什么灵魂显灵。这个地方冬天特别冷，由于下雨落雪，使坑内积了水，到夜晚就结成了冰。白天的温度升高了，石球南面的冰因受太阳的照射又融化成水，而北面由于没有太阳照射，仍结着冰。这样，沉重的石球会稍稍倾斜，从而非常缓慢地向南转动。正面的十字架也就渐渐地被隐埋起来了。

[A74]

安娜是穿着芭蕾舞鞋踮着脚走到网球场上的，同时，她还准备了另一双高跟鞋。在她杀死洛依特夫人后，就脱下芭蕾舞鞋，换上了准备好的鞋子，然后打开手电筒顺着来时的鞋印走回去。由于芭蕾舞鞋印的痕迹比较浅，很容易被高跟鞋的鞋印覆盖，这样现场就看不到安娜走进网球场的脚印了。

天书遗嘱

Q76 库恩是一个盲人，他非常喜欢写作，经过数十年的努力，他终于成为一名成功的作家。简恩是库恩的好朋友，他是一名盲人歌手。相同的经历使库恩和简恩成了亲密的朋友。

这天，简恩演出回来，顺道探望重病在床的库恩。库恩紧紧握住简恩的手，喘着气对简恩说道："你是我最好的朋友，我最信任你。有件事情要托付给你。我死以后，我会从我的遗产里划出一半，也就是 100 万美元，留给残疾人福利机构，希望能帮助更多的残疾人。现在，我就开始写遗嘱，然后由你保管它。"

接着，库恩让他的妻子拿来纸笔，他在床头摸索着写好遗嘱，装进信封里亲手密封好，郑重地交给简恩。

简恩接过遗嘱，慎重地把遗嘱专程送到银行保险箱里保存起来。半年后，库恩死于癌症。在库恩的葬礼上，简恩宣布了他的遗嘱，大家都为库恩的爱心而感动。而当残疾人福利机构的代表郑重地打开密封完好的遗嘱时，却很吃惊——里面竟然是一张白纸！

简恩根本无法相信，库恩亲手密封、自己亲手接过并且由银行保管的遗嘱怎么会变成一张白纸！他仔细回忆，整个过程丝毫没有能够引起怀疑的地方，进了银行的保险箱，谁都无法更换涂改，别说密封还是完好的呢。

这时，来参加葬礼的尼克探长对简恩说："简恩先生，虽然这只是一张白纸，但库恩先生的遗嘱仍然成立。"

众人都疑惑不解，尼克探长又说了几句话，众人恍然大悟。

聪明的读者，你知道是什么原因吗？

[A75]

小王是根据瓷器底部的一行小字："公元八百二十年制"认出了这是个赝品。因为我国唐代还没有使用公元纪年，公元纪年是中华人民共和国成立之后才开始使用的。

头发的证词

一天下午，演员苏珊被人谋杀在她的公寓里。警方在查看现场的时候，发现了死者手中紧紧攥着几根金色的头发。警长马上把这唯一的线索保存了起来。

法医鉴定，死者的死亡时间推定是这天早晨 6 点至 7 点期间。最先发现死者的是打工的女佣凯特。

警长问道："在苏珊小姐认识的人中，有没有金发的人。"

"化妆师马休就是金发，他曾追求过苏珊小姐而遭到拒绝，会不会是他怀恨在心杀了苏珊小姐？"

听了女佣的话，警长来到就住在本楼的马休的房门。

出来开门的马休的确是个金发男子，看上去刚刚理过发。警长将苏珊被杀的事情告诉了他，并询问他今天早晨 6 点至 7 点钟在哪里。马休显得有点儿紧张，说话结结巴巴。"我在自己的房间里睡觉。因为我是单身，所以没人给我作证，不过我说的是实话。我承认我曾遭到她的拒绝，但我并不恨她，更不可能为了这事儿把她杀死。"马休说这番话时，脸上的表情很诚恳。

警长微笑着说："不过请你再回答我一个问题，你是什么时候理的发？"

"昨天中午，这与案件有关系吗？"

"关系重大，"警长认真地说，"为了慎重起见，你能拔一根头发给我吗？"

马休很配合地拔下了自己的几根头发，不知道警长葫芦里卖的什么药。

"嗯，完全是同一个人的头发。"警长把被害者手里攥着的头发拿了出来。

"你，你怎么可能有我的头发，这怎么可能呢？"马休不敢相信自己的眼睛。

"别紧张，凶手不是你。"警长接着问："你知道有什么人能够同时接近你们两个人吗？"

"凯特，她能。她除了帮苏珊打扫卫生外，也帮我清理房间。我曾听苏珊说过，她手脚有点儿不干净。"

警长微微一笑说："我知道是谁杀了苏珊小姐了。"

你知道警长为什么这么说吗？

......

[A76]

其实，库恩的妻子为了保住遗产，故意把没有墨水的钢笔递给库恩。由于库恩和简恩都是盲人，自然也就没有发现，没有字的白纸最终被当成遗书保存下来。

可是，虽然没有字迹，但钢笔划过白纸留下的笔迹仍然存在，如果仔细鉴定是可以分辨出来的，所以尼克探长才说遗嘱仍然有效。

门外的烟蒂

一天，侦探科林正在看报纸，一则桃色谋杀案吸引了他的注意。四天前，在城郊的一栋房子里，有一个漂亮的夫人被杀害了，凶手的作案时间是下午2点半至3点之间。

科林马上打电话给警长，警长告诉他，目前找到两名嫌疑犯，现场的指纹和足迹都被破坏了。只是在门外的地上拣到了一支烟蒂，是支只吸过一两口的很长的烟蒂。大概下午2点左右，有人看见被害人在打扫院子，所以门外的烟蒂一定是那之后罪犯扔掉并用脚踩灭的。

科林想了想问警长："两名嫌疑犯都是谁呢？"

"一个是被害人的丈夫，他们夫妻感情不和，而且听说这个女人有外遇。一个是邮递员，他喜欢在送邮包的时候，调戏妇女。但是，我们没有足够的证据指证谁是凶手。"警长说。

"其实，证据已经很充分了，凶手就是邮递员。"科林非常肯定地说。

那么，科林的推理是什么呢？

[A77]

凶手就是女佣。她一定是在偷窃东西的时候被苏珊发现了，于是她趁机杀了苏珊。为了嫁祸给马休，女佣在帮马休打扫房间的时候偷偷走了几根残留的头发。而她疏忽了一点：马休几天前理了发。理过发的头发的末梢都是整整齐齐的，而警长发现苏珊小姐手中攥着的头发是马休没理发之前的头发。所以这一切都是女佣伪装的，而能亲密接近这两个人的人只有她。

凶器青铜鼎

Q79 一天，F市的名人M先生来警察局报案。他说他的妻子在家中被人杀死。

经现场勘察，死者是被重物敲击了后脑，导致大量出血而死亡的。现场没有搏斗的痕迹，凶手显然是在她不设防的情况下下手的。

此外，在现场还找到了一只青铜鼎。经检验，鼎上有许多同一个人的指纹，上面的血迹证明这就是杀害M夫人的凶器。M先生说，这只青铜鼎是他最近刚收集到的一个很有价值的古玩。他曾邀请一个朋友鉴赏过，他妻子也认识这个朋友。

很快，M先生的朋友被传讯，他的朋友听说此事后大呼冤枉。他说："前几天，M先生打电话让我去他家，说刚刚收到一只青铜鼎，要我帮他鉴定一下。我当时还拿着鼎帮他估价，后来我就走了，并没有发生什么凶杀案呀！"

警察听罢他的诉说之后说："我知道谁是凶手了。"

请问：你知道谁是凶手吗？

[A78]

如果凶手是被害人的丈夫，就不会将只吸了一两口的香烟扔在门外，他会毫不在意地叼着烟进屋的。而在要访问的对象门前将刚点燃的烟扔掉，是因为叼着烟去别人家里不礼貌，所以凶手毫无疑问是邮递员。

逃走的秘密

一天夜里，有个蒙面强盗潜入别墅，把男爵夫妇用绳子捆绑起来关进厕所里，盗走了大量的珠宝。

一听到这个消息，布莱克立刻想到了案发的前一天强盗朗班曾在男爵家附近的 L 市逗留过，布莱克猜想，一定是他作的案，于是布莱克马上来到朗班下榻的饭店。

"朗班先生，上周六晚上男爵的别墅进来一个蒙面强盗，抢走了男爵夫人的珠宝后逃跑了。那个罪犯就是你吧？"布莱克问。

"胡说什么！我那天确实去过那里，但你有什么证据证明那是我干的？"朗班一本正经地反问道。

"罪犯盗走珠宝的时候，用绳子把男爵夫妇捆起来关进厕所里。事后，男爵说，那时是晚上 9 点零 5 分。"

"如果是 9 点零 5 分，我有当时不在作案现场的证明。那天夜里，我是从 S 车站乘 9 点 16 分的夜班车赶回 L 市的。从男爵的别墅到 S 车站无论如何 10 分钟是不够的。"

"看来你对男爵的别墅很熟悉呀。"布莱克讽刺地说。

"去年赛马时，应男爵之邀去住过一夜。"朗班强打着笑脸说。

男爵的别墅离 S 车站有相当远的一段路，再近的路，步行也得 30 分钟，因此，朗班从 S 车站乘坐 9 点 16 分的夜班车如果属实的话，那么他不在作案现场的证明是成立的。

布莱克侦探已经去过 S 车站，让车站工作人员看了朗班的照片，证明了他没有说谎。那天从 S 车站上车的旅客只有朗班一人，车站工作人员及列车员都清楚地记得他。

"可是，朗班先生，10 分钟之内是有办法从别墅到 S 车站的。比如说，你搭上一辆马车逃跑，但你绝对不会乘别人的马车。男爵的别墅里倒是有个马厩，并且还有一匹马，马厩外面还有一辆自行车。男爵夫妇 1 个小时后挣脱了绳索，走出厕所去查看四周情况时，看到马仍在马厩里，自行车也放在原处未动。马厩的门从里面是推不开的，只有从外面才能推开。朗班先生，我已经清楚你搞的是什么把戏了。还是把偷去的珠宝老老实实地给我还回去，否则我要报警了。"布莱克严肃地说。

请问：强盗朗班用什么交通工具只花了 10 分钟就逃到了 S 车站呢？

....

[A79]

凶手就是 M 先生本人。他首先把朋友骗到家里鉴赏青铜器，目的就是让朋友的指纹沾上去。然后 M 先生杀死自己的妻子，丢掉青铜器，嫁祸给他的朋友，让警方误以为是他朋友贪图青铜器而谋财害命，杀死 M 先生的妻子。

高明的赌徒

Q81 来某镇的游客通常都是暴富商人和采矿者，他们在挣到大把钞票后，跑到镇上疯狂地喝酒赌博。因此，镇上的商铺几乎都变成了酒馆，而赌场更是有近20家。这天，在镇上最大的赌场里，一位穿西服的外乡人慢慢地拿出一个精致的皮箱，打开后，只见箱子里有用黄金打造的1到9的数字。

接着，那个外乡人礼貌地向众人鞠了一躬，高声说道："这里有一个最简单的赌局！会加法的人都会，只要用20元，就能赢取200元！"说完，他把一沓厚厚的钞票放到了台子上。

听说有这样的好事，赌徒们纷纷让外乡人讲解规则。他的规则非常简单：他用200元下注，其他人则用20元下注，每次下注都放到任意一个数字上，双方轮流走，先获得3个加起来等于15的数字的人获胜。

这时，一个老赌徒决定赌一把。老赌徒先把20元放在7上，外乡人把200元放在8上。老赌徒再把20元放在2上，这样他以为下一轮再放在6上就可以加起来等于15，便可以赢了。

但是外乡人把钱放到了6上，让老赌徒的计划没有成功。现在，外乡人只要在下一轮把钞票放在1上就可获胜了。老赌徒看到这一威胁，便把20元放在1上。外乡人并不慌张，他笑嘻嘻地把200元放到了4上。老赌徒看到他下次放到5上便能赢了，就不得不再次堵住他的路，把20元放到了5上。可是，这时外乡人却把200元放到了3上，因为8+4+3 = 15，所以外乡人赢了。

老赌徒输掉了80元钱，而外乡人则赢得了"15点"的胜利。一些不甘心的赌徒都上去挑战，可让人不敢相信的是，整整一周的时间里，外乡人竟然没有输过一次！他的行李箱装满了赢来的钱，而赌徒们却根本弄不清，为什么这种小学数学题能让他们输这么多钱。

一个赌徒提出，只赢不输说明外乡人在作弊，应该报警。很多输了钱的人随声附和，于是他们请警察来调查。经过警察详细而认真的调查，终于解开了外乡人只赢不输的谜团。

请问：你觉得外乡人作弊了吗？

....

[A80]

强盗朗班从别墅骑马飞奔到S车站，并在S车站附近下马，然后把马放开，自己奔向S车站乘上9点16分的夜车，回到L市自己的住处。而放在那儿没人管的马则自己回到了马厩。因为马厩的门由外往里是可以推开的，所以马可以自己走进马厩。

神秘案件

"砰"的一声巨响打破了夜晚的宁静，接着，邻居们耳中熟悉的吵闹声响了起来。吵闹声不断，当最后一声尖叫划破天际时，就再也没有声音了。

第二天，邻居发现萨莉娜家的窗子上竟然有斑斑血迹，再联想到昨天晚上的激烈争吵，邻居立刻报了警。警察破门而入，发现萨莉娜身上满是刀伤，倒在血泊之中，早就死去了，而她的丈夫罗斯也没有了踪影。

"又是一桩家庭悲剧，"负责调查的警察说，"不必问就知道，那个罗斯就是凶手。"警察马上发出通缉令，然后向邻居们了解案件发生的确切时间。

"我听到尖叫声的时候是 0 点 08 分。"一个邻居老太太肯定地说。

"不，完全不是这样，那时候我还清醒着呢。"一个年轻人反驳道，"我清楚地记得，是 23 点 40 分。"

"胡说！"对面杂货店的老板掺和了进来，他对警察说，"是 0 点 15 分，我看手表了。"

"应该是 23 点 53 分。"最后发话的是一个中年绅士，他坚持认为自己的时间是正确的。于是，被弄糊涂了的警察检查了他们各自的手表，结果发现没有一块是准的。

在这些手表里，一个慢 25 分钟，一个快 10 分钟，还有一个快 3 分钟，最后一个慢 12 分钟。而现在的问题是，案发的时候到底是几点呢？

....

[A81]

外乡人并没有作弊，他只是巧妙地运用了数学原理。

要明白"15 点"游戏的道理，应先列出其和均等于 15 的所有三个数字的组合（不能使两个数字相同，不能有零）。这样的组合只有八组：1+5+9=15，1+6+8=15，2+4+9=15，2+5+8=15，2+6+7=15，3+4+8=15，3+5+7=15，4+5+6=15。

应当注意的是，这里有八组元素，八组都在八条直线上：三行、三列、两条主对角线。每条直线等同于八组三个数字（它们加起来等于 15）中的一组。因此，在比赛游戏中，每组获胜的三个数字，都由某一行、某一列或某条对角线在方阵上代表着（如图）。

很明显，根据这个简明的图示，只要每次在可能构成 15 的地方堵住对方，那么对方就完全没有获胜的可能；如果双方都按照正确的方法下注，最终就是平局。赌徒们显然没有想到加法里还有这么大的奥妙，于是纷纷落败。

2	9	4
7	5	3
6	1	8

女盗贼的把戏

Q83 女盗贼丽塔乔装打扮，混进了珠宝拍卖会场，盗走了两颗大钻石。一回到家，她马上将钻石放在水里做成冰块后放了冰箱里。因钻石是透明无色的，所以藏到冰块里，万一有警察来搜查也不易被发现。

正当女盗贼为自己的完美想法暗自得意时，波洛侦探来了。"还是把你偷来的钻石交出来吧。虽然警察没看出是你，但我知道就是你。"

"大侦探，你不要信口雌黄，有什么证据说是我偷的？"丽塔若无其事地说。见波洛无话可说，她自作聪明地说："今天真热呀，来杯冰镇可乐怎么样？"

丽塔说着从冰箱里拿出冰块，每个杯子放了4块，再倒上可乐，递给波洛一杯。她将藏有钻石的冰块放到了自己的杯子里。这样即使冰块化了，钻石露出来，在喝了半杯的可乐下面也是看不出来的。波洛怎么会想到，在他眼前的可乐中会藏有钻石呢，丽塔暗自盘算着。

"那么，我就不客气了。"波洛接过杯子喝了一口，下意识地看了一眼丽塔的杯子。

我想我现在有证据逮捕你了，把钻石交出来吧。

"我想我现在有证据逮捕你了，把钻石交出来吧。"

"哦，是吗？钻石在哪里？"丽塔强作镇定道。

"就在你的杯子里。"说完，就一把把丽塔的杯子抢了过来。

冰块还没融化，那么波洛是怎么知道丽塔的可乐杯子里藏有钻石的呢？

......

[A82]

这是个看起来复杂其实很简单的问题。作案时间是0点05分。计算方法很容易，从最快的手表（0点15分）中减去最快的时间（10分钟）就行了。或者将最慢的手表（23点40分）加上最慢的时间（25分钟）也可以得出相同的答案。

[A83]

很简单。冰放在水中会漂浮起来，而钻石做成的冰块放在水中只会沉入杯底。

骨灰箱上的密码

Q84 一个身手矫健的小偷乘警卫换班的机会溜进了博物馆，窃走了馆内大批珍宝。警长开勒将所有珠宝店和古董店都查问了一遍，还是没有找到线索。

这时，开勒便来找威尔帮忙。威尔思索了一下，问开勒："你说，如果你偷到了东西，你会藏到珠宝店或者银行的保险箱里吗？"

开勒想都不想地回答："当然不会了，不过——"

"所以就别作无用功了。"威尔说完，就带着开勒来到贫民区。看到开勒满脸焦虑的样子，威尔问道："不经常来这里吧，警长先生？"

开勒还没来得及回答，一个瘦弱的年轻人忽然从后面鬼鬼祟祟地闪了出来。他低声问道："先生，要古董吗？非常便宜的价格。"

"有点兴趣。"威尔回答，"带我去看看。"他见那青年犹豫了一下，又补充道，"我是个收藏家，要是喜欢的话，我会全部买下来的。"

听说来了个大主顾，男青年便不再犹豫，带着他们穿过长长的巷子，走进一个狭小的殡仪馆。另外一个男青年等在那里，他面前是满满一墙从 1 到 10 000 编上数字的骨灰箱。

等在那里的青年跟带路人交谈了几句，就取出笔算了起来。他写道：*** + 396=824。显然，第一个数字应该是 428。他打开 428 号骨灰箱，取出一只中世纪的精美怀表。

忽然，他瞥见开勒腰间的短枪。就在刹那间，他把怀表砸向威尔，转身飞奔而去。开勒追赶不及，只抓住了带路的青年。

"我什么都不知道。"带路的男青年看着逼近的警察，连忙说，"我是帮工，只知道东西放在 10 个骨灰箱里，他说过，这些箱子都有联系，而且好像都是 400 多号的……"

"联系？"威尔琢磨起来。接着，他发现了有趣的事情：把 428 这个数顺序反一反，就是 824，就是说，其他的数字也有同样的规律！现在，问题就变得简单了。

威尔花了不到 1 分钟就找到了答案。

聪明的读者，你要花几分钟才能解决这个问题呢？

....

[A84]

威尔注意到，和的十位上的数字与第一个加数的十位上的数字相同，这就要求个位上的数字相加一定要向十位进 1，1 与第二个加数 396 十位上的 9 相加得整数 10 向百位进 1，所以和的百位上的数字一定是 8，而它的十位上的数字从 0 到 9 都符合条件，因此，藏有赃物的另外 9 个箱子是：408，418，428，438，448，458，468，478，488 和 498。

白天黑夜，
玩到停不下来的全脑思维游戏
和你在一起！